Rock'n Loup

© Édition Milan, 1999
pour le texte et l'illustration
ISBN : 2-84113-912-3

Hervé Debry

Rock'n Loup

MILAN POCHE

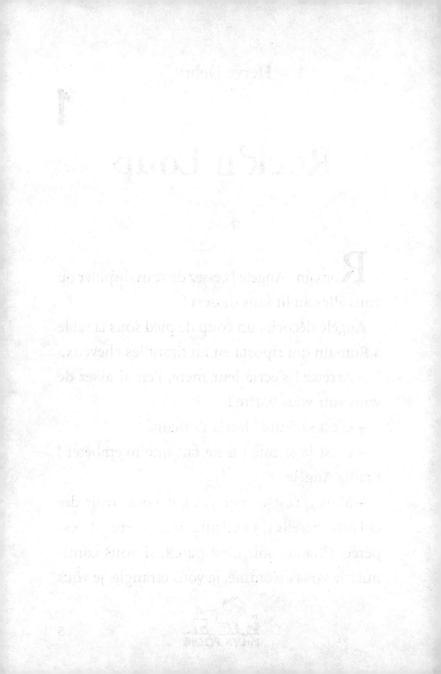

1

– **R**omain ! Angèle ! cessez de vous disputer ou vous allez au lit sans dessert !

Angèle décocha un coup de pied sous la table à Romain qui riposta en lui tirant les cheveux.

– Arrêtez ! s'écria leur mère, j'en ai assez de vous voir vous battre !

– C'est sa faute ! hurla Romain.

– C'est la sienne ! il ne fait que m'embêter ! brailla Angèle.

– Mais qu'est-ce que j'ai fait pour avoir des enfants pareils ! s'exclama leur mère, désespérée. Chaque soir c'est pareil, si vous continuez je vous assomme, je vous étrangle, je vous noie ! Je… j'appelle le loup ! Comme faisait ma grand-mère ! Oui, le loup ! qu'il vienne et me débarrasse de vous !

— Il n'y a plus de loups, rétorqua Romain, on les a tous tués.

— Et moi j'ai pas peur du loup, affirma Angèle, frappant à grands coups de cuillère sur sa purée qu'elle étala sur la table.

— Angèle, arrête ! Sinon…

— Sinon, j'appelle le loup ! s'esclaffa Romain.

— Oui, le loup ! Et qu'il vous dévore tous les deux !

— Génial ! Le loup va bouffer Angèle !

— Je veux pas qu'on me mange ! hurla Angèle.

— Si, le loup te mangera, il adore les grosses !

— C'est pas vrai, je ne suis pas grosse ! protesta Angèle furieuse.

Elle jeta sa purée à la figure de Romain qui se mit à hurler.

— Ça suffit ! cria leur mère, vous allez voir quand le loup va… quand Papa va rentrer ce que vous allez prendre ! Maintenant allez vous coucher sans dispute sinon, si ce n'est pas le loup, c'est moi qui vous étrangle !

Angèle et Romain se couchèrent sans murmurer. Leur mère éteignit la lumière et ferma la porte de leur chambre. La chambre était noire et silencieuse. Au fond de son lit, Angèle murmura :

– Tu y crois, toi, au loup ?

– Je ne sais pas, répondit Romain, c'est vrai qu'il en reste encore dans les montagnes et dans les zoos.

– Tu crois qu'ils sortent la nuit pour manger les enfants ?

– S'ils viennent, je te défendrai, répondit Romain d'une voix mal assurée.

Il se tut. Angèle renifla puis s'endormit. Romain entendit son souffle régulier au fond du lit et s'endormit à son tour, serrant son oreiller contre lui.

2

– **M**aman m'a tout raconté, déclara Papa, le lendemain au petit déjeuner.

Il avait l'œil sombre des mauvais jours, l'œil qui annonçait l'orage et les punitions.

– Vous avez été insupportables une fois de plus mais, cette fois-ci, je vous jure que vous allez le regretter.

Romain mordit dans sa tartine sans prêter attention aux propos de son père. Il avait bien dormi et se sentait en pleine forme. La vie aurait été si belle sans les caprices des parents : se lever le matin, travailler en classe, ne pas porter sa casquette la visière à l'arrière, ne pas mettre la télé trop fort et ceci et cela…

Il soupira.

— Ce n'est pas la peine de soupirer, coupa Papa, vous êtes désagréables au possible et en plus vous ne faites rien en classe. Quand je pense qu'à votre âge j'avais un an d'avance sur vous.

— Schloup !

C'était Angèle qui finissait bruyamment son bol de lait.

— J'ai faim, dit-elle, et elle enfonça sa cuillère dans le pot de confiture qui se renversa.

— Angèle ! Mais tu le fais exprès, c'est pas possible !

— Mais non, Maman, c'est le pot qui est tombé tout seul.

— Arrête de mentir, intervint Papa, c'est toi qui l'as fait tomber.

— Elle a menti ! Qu'on la jette aux crocodiles ! s'écria Romain.

— Je ne veux pas être jetée aux crocodiles ! protesta Angèle.

– Si, ils adorent les filles grasses et dodues, ricana Romain.

Angèle, furieuse, lui décocha un coup de pied sous la table.

– La vache ! hurla Romain, vous voyez bien que c'est toujours elle qui cogne !

– J'en ai assez, murmura Maman au bord des larmes, vous me ferez mourir.

– Votre mère a raison, affirma Papa, vous méritez vraiment que le loup vous dévore.

Boum ! Boum !

– Qu'est-ce que c'est ? sursauta Maman.

– Quelqu'un qui frappe sans discrétion à la porte. Je vais lui enseigner les bonnes manières puisqu'il ne les connaît pas.

Et Papa fonça furieux vers l'entrée de l'appartement.

Boum ! Boum !

– Oui, gronda Papa, j'arrive !

Il ouvrit brusquement la porte et fit un bond en arrière, les yeux hagards. Sur le seuil, se tenait un grand loup gris.

– Bonjour, dit le loup, et il entra. Vous m'avez appelé, me voici.

– Cocomment, bafouilla Papa, je n'ai appelé personne…

– Si, souvenez-vous, vous avez dit : j'appelle le loup, le loup va venir, le loup vous mangera…

– Ah que… que… le loulou, bégaya Papa, blanc comme un linge.

– Ah, queque le loulou, coupa le loup, ironique. Sachez, Monsieur, que je ne suis ni loulou ni loubard mais un loup bien élevé et doux avec les enfants.

Il s'avança vers Romain et Angèle qui le regardaient, pétrifiés.

– Et vous, avez-vous peur du loup ?

– Moi non, je n'ai pas peur du loup, répondit Romain d'une voix tremblante.

– Moi non plus, je n'ai pas peur, murmura Angèle d'une voix étranglée.

– Pourtant je peux être très méchant, gronda le loup.

Il retroussa ses babines et, claquant férocement des mâchoires, fit un pas vers Angèle.

Angèle lâcha sa cuillère et se mit à pleurer.

– N'aie pas peur, petite, il y a longtemps que je ne mange plus les enfants, affirma le loup. En vérité je ne les ai jamais mangés. Le loup dévoreur d'enfants est une fable, une invention des hommes pour faire peur aux marmots. Je sers d'épouvantail depuis des siècles, alors, moi, le loup, je suis venu vous dire que ça suffit.

« Et vous avez-vous peur ? questionna-t-il, se tournant vers les parents qui demeuraient bouche ouverte, agités d'un léger tremblement.

– Moa, moa, non, bredouilla Papa.

– Étranges parents, soupira le loup. Après avoir crié au loup, voilà qu'ils tremblent devant lui… Ils sont gentils au moins ?

– Oui, répondit Angèle d'une petite voix.

– Oh, ça va, soupira Romain, il y a pire.

– Je vois, grogna le loup, ce n'est pas transcendant…

– Bof, répondit Romain.

– Bof, reprit Angèle en écho.

– Parce que s'ils ne sont pas gentils, je les dévore, affirma le loup, vous serez plus tranquilles : plus d'école, plus de devoirs, plus d'ennuis, songez-y…

Et il s'avança vers les parents, roulant des yeux féroces, les babines retroussées.

– Non, ils sont gentils ! hurlèrent d'une seule voix Angèle et Romain, se jetant devant le loup.

– Ça fait plaisir de voir des enfants satisfaits de leurs parents ! s'exclama le loup, quelle belle famille !… Et quand déjeune-t-on dans cette belle famille ? J'ai grand-faim.

– Comment, murmura Maman, vous voulez déjeuner ici ?

– Vous voudriez que je reparte le ventre creux ? répondit le loup d'un ton peiné, après le long chemin que j'ai fait pour venir vous voir !

– J'avais prévu du poisson aujourd'hui et je n'ai pas le temps d'aller à la boucherie.

– Qu'importe, je suis végétarien, affirma le loup, oui végétarien, j'adore les légumes, les choux, les potirons, les navets…

– Beuh ! grimaça Papa, les navets, c'est dégoûtant !

– Dégoûtant un navet ! c'est tout ce qu'il y a de plus naturel… Un bon navet écologique, il n'y a rien de meilleur…

– Rien ne vaut un bon gigot.

– Un gigot de mouton ?

– Ou d'agneau, fondant sous la dent, affirma Papa, les yeux luisants de gourmandise, un bon gigot d'agneau tendre et moelleux…

– De l'agneau… Un mignon petit agneau qui ne demandait qu'à vivre, soupira le loup, quelle tristesse !… Je me demande ce qui me retient de vous croquer… En attendant le repas de midi, je déjeunerais bien d'un chocolat et d'une brioche, et vous me montrerez où je dors ce soir…

– Quoi ! s'étrangla Papa, vous voulez dormir ici !

– Bien sûr, je ne vais pas repartir juste après le déjeuner. Le vent s'est levé, je sens qu'il va faire froid cette nuit. Un bon lit sera le bienvenu… avec une petite bouillotte… Si ce n'est pas trop abuser de votre hospitalité…

3

Le lendemain, le loup était toujours à la maison. La veille, il avait avalé une énorme salade sous les yeux ébahis de la famille, regardé la télé, lu le journal et pris un long bain moussant avant de se coucher. Au réveil, après une excellente nuit, il avait déclaré que, tout bien réfléchi, il allait rester pour rétablir la vérité à son sujet.

– Elle va durer longtemps sa campagne de publicité ? gronda Papa. Je ne l'ai pas appelé pour qu'il parle de lui ; en fait, je ne l'ai même pas appelé du tout.

— Ça alors ! s'exclamèrent en chœur Angèle et Romain, Maman et toi vous vouliez qu'il nous mange !

— On disait ça pour vous faire peur mais on n'en pensait pas un mot.

— Pas un mot ! vous l'avez tellement appelé qu'il est venu !

— Appelé, pas vraiment, répondit Papa mal à l'aise, nous avons simplement suggéré sa présence.

— Suggéré assez fort pour qu'il l'entende !

— Personne ne l'a obligé à venir.

— Quand on parle du loup, on en voit la queue, rétorqua Romain.

— Maintenant qu'on a vu sa queue, il peut regagner sa tanière.

— Il dit qu'il veut mieux nous connaître…

— C'est trop d'honneur, ironisa Papa. Et il compte rester longtemps ?

— Je n'ai rien décidé encore, intervint le loup en entrant dans le salon, je suis en vacances, j'ai tout mon temps. Je veux en finir avec toutes ces histoires de Petits Cochons, de Petit Chaperon Rouge, et montrer par mon exemple que le loup est un animal pacifique.

Et le loup s'installa dans la maison, prit ses aises, la meilleure place devant la télé, le meilleur fauteuil pour faire la sieste et les meilleures pantoufles de Papa.

Papa protesta, grogna, pesta, rien n'y fit. Le loup demeura dans la maison. Finalement, au bout de quelques jours, Maman trouva que sa présence n'était pas désagréable. Angèle et Romain ne se battaient plus et écoutaient le loup leur raconter des histoires, le soir avant de s'endormir.

– Alors le Méchant Chaperon Rouge se jeta sur le petit loup et le dévora, racontait le loup.

– Arrêtez, Loup ! protestait Maman, vous allez leur faire faire des cauchemars avec vos histoires !

– Mais non ! répondaient Angèle et Romain au fond de leur lit, on n'a pas peur, elle est géniale cette histoire !

— Ce n'est que l'horrible vérité, reniflait Loup, essuyant une larme avec un coin de drap. Le pauvre petit loup, il a été croqué par le Méchant Chaperon Rouge comme mon grand-père l'a été par les Trois Méchants Cochons.

— Loup, vous galégez… Pire qu'un Marseillais !

— Galéger ! Moi ? Pas du tout ! Je dis la vérité, mon grand-père a été mangé par les Trois Méchants Cochons.

— Comment ça ?

— C'était pendant l'horreur d'une profonde nuit. Ma grand-mère Jézabel tricotait des chaussettes pour mon grand-père qui était parti à la chasse et tardait à rentrer. Elle tricotait, tricotait, regardant l'heure à la pendule du salon. Tic-Tac, Tic-Tac, l'heure tournait, le tricot avançait mais Grand-Père ne rentrait pas. Alors Grand-Mère qui était courageuse prit l'escopette de Grand-Père, une grosse lanterne et partit dans la nuit à la rencontre de Grand-Père.

La nuit était glaciale, le vent soufflait à travers les branches en hurlements lugubres. Ma grand-mère frissonnait et marchait, éclairée par la faible lueur de sa lanterne, quand tout à coup un grognement sinistre déchira la nuit, puis un autre, puis un autre encore. Ma grand-mère hâta le pas, le cœur étreint par un sombre pressentiment. Elle entendit un hurlement atroce et, débouchant dans la clairière, découvrit un horrible spectacle : mon grand-père gisait sur le sol, terrassé par trois horribles cochons roses et gras, bouffis et replets, dont les petits yeux cruels et porcins luisaient dans l'obscurité comme les flammes de l'enfer. C'était la bande des Trois Méchants Cochons qui terrorisaient la région. Ils avaient attendu mon grand-père dans la clairière pour lui tendre une embuscade et s'étaient jetés sur lui. « Hilarion ! » hurla ma grand-mère. Trop tard ! Grand-Père agonisait, dévoré par les cochons. Ah ! Il s'était bien battu, Grand-Père ! Il avait mordu la fesse de l'un, dévoré la cuisse de l'autre, arraché le groin du troisième, mais que vouliez-vous qu'il fît contre trois ?

– Qu'il mourût… murmura Maman, émue.

– C'est ce qu'il fit dans les bras de ma grand-mère après qu'elle eut mis en fuite les trois porcins à coups d'escopette chargée à mitraille. Elle recueillit le dernier souffle de mon grand-père et demeura veuve tout le restant de ses jours, vivant dans le souvenir du grand et beau loup qu'avait été mon grand-père ; nous enseignant, à nous, ses petits-enfants, à nous méfier des cochons comme de la peste.

4

— Poussez-vous, les enfants, ne restez pas au milieu, j'ai du ménage à faire.

C'était samedi, et Maman voulait faire un grand nettoyage de l'appartement. Les cheveux enveloppés dans un foulard et vêtue d'une vieille robe, elle secouait avec vigueur les coussins du canapé.

— Encore ! grogna Romain. Il se leva du canapé où il lisait une BD. On n'est jamais tranquille ici.

— Si vous ne mettiez pas le désordre, je ne serais pas obligée de ranger, j'aimerais bien d'ailleurs que vous rangiez votre chambre, c'est un vrai capharnaüm…

– Oui, M'man.

– Un oui suivi d'un vrai rangement, c'est bien compris ? Je vais commencer par les toiles d'araignées, j'ai cru en voir dans les placards.

Maman sortit du salon et revint avec une grosse brosse à tête ronde, plantée au bout d'un long manche.

– Avec ça, les bestioles n'ont qu'à bien se tenir, sourit Papa, voici l'Attila des araignées.

– Tu veux le faire ? questionna Maman, pincée.

– J'ai la voiture à laver, je vais descendre dans un instant.

– Vous avez vu ? Le soleil s'est levé, déclara Loup, en entrant dans le salon, il fera beau aujourd'hui, un superbe temps pour la promenade.

– Ce n'est pas le jour, j'ai du travail, coupa Maman, le ménage ne se fait pas tout seul.

– Tiens, qu'est-ce que c'est ? questionna Loup étonné, désignant la grosse brosse ronde plantée au bout du manche.

– C'est une tête-de…, commença Maman.

Elle s'arrêta, gênée, regarda Loup, regarda la brosse, regarda la brosse, regarda Loup.

– C'est, comment dire…

– Une brosse, intervint Angèle.

– Oui, une brosse, affirma Maman, une brosse à araignées.

– C'est bien pratique, je m'en servirai chez moi… Mais tout à l'heure, vous me disiez que c'était une tête…

– Oui.

– Une tête-de-brosse ?

– Non, une tête-de…

– Une tête-de…

– À vrai dire, c'est un nom que l'on donne familièrement mais je ne sais pas si c'est le nom exact, c'est une tête… une tête-de-vous, souffla Maman à voix basse.

– Une tête-de-houx, répondit Loup, c'est curieux, ça ne ressemble en rien au houx des bois.

– Non, de vous, balbutia Maman, gênée.

– De chou ! Cela ressemble autant à un chou que moi à un plumeau… Ah ! J'ai mal compris ! C'est une tête-de-pou ! Évidemment pour enlever les araignées… Mais c'est curieux quand même, pourquoi une tête-de-pou ?

– Pas de pou mais…

– Mais quoi ?

– Une tête-de-vous…

– De vous ?

– Non, de toi, souffla Romain. Il posa sa main sur le crâne de Loup et répéta :

– De toi.

– De moi !… Tu veux dire une tête-de…

– Oui.

– De loup ! s'écria Loup éberlué. Vous appelez ça une tête-de-loup !

– Oui, une tête-de-loup ! s'écrièrent en chœur Papa, Maman, Angèle et Romain.

— Ce sont bien là des manières d'homme, déclara Loup pincé, dénaturer ainsi les pauvres bêtes que nous sommes, nous comparer à de vulgaires brosses… Une tête-de-loup !… Est-ce que j'utilise une tête-d'homme pour balayer ma tanière, moi ?

— Vous nettoyez souvent ? questionna Maman.

— Au changement de saison, je nettoie, je brosse, j'aère…

— Eh bien, moi aussi, je range ma tanière… je veux dire ma maison à chaque changement de saison. Je passerai votre tête… pardon, la tête-de-loup dans les recoins, n'en déplaise à votre susceptibilité.

Et Maman se mit au travail, la tête-de-loup à la main.

5

Loup demeurait muet, boudant dans un coin du salon. Angèle et Romain échangèrent quelques mots à voix basse.

– M'man ! on peut aller à la piscine avec Loup ? On rangera demain, c'est promis.

– À la piscine avec Loup ! Mais jamais on ne le laissera entrer !

– Si, c'est Étienne qui est à l'entrée, il nous connaît, il ne dira rien. Loup, trouve-toi une serviette et rejoins-nous.

Loup quitta le salon et gagna sa chambre.

– Dépêche-toi ! s'écria Romain au bout d'un moment, on va arriver trop tard, on ne pourra pas profiter de la piscine à vagues !

– Ni du toboggan.

– Ça, c'est pas grave, grogna Romain, tu fais tout déborder quand tu tombes à l'eau.

– C'est pas vrai ! Et puis toi, tu…

– Ça suffit, les enfants, sinon vous n'irez pas à la piscine ! coupa Papa d'un ton sec.

Loup sortit de la chambre, une serviette sous le bras.

– Hein ! qu'est-ce qu'il a mis ! s'étrangla Papa, mais… mais c'est mon bermuda !

– Vous ne le mettez pas, alors permettez-moi d'en profiter, il me va très bien, je trouve.

– Génial ! s'écria Romain, tu es super, Loup !

– Ouahou ! s'exclama Angèle, le bermuda de Papa ! Il te va superbien, t'es mignon avec des petites fleurs sur le derrière !

– Mais il ne va pas aller à la piscine avec mon bermuda ! protesta Papa.

– Je ne peux tout de même pas y aller, le séant à l'air ! répondit Loup.

– Le séant ?

– Le derrière, si vous préférez, pour parler comme vous.

– Il m'énerve, grommela Papa, il ne peut pas parler comme tout le monde, cet animal ?

– Je parle comme il sied à un loup civil et policé.

– Civil et policé, quel charabia ! soupira Papa. Et votre bonne éducation de loup ne vous gêne pas pour porter mon bermuda ?

– Non, pourquoi ? il n'est pas propre ?

Papa ouvrit la bouche et la referma, interloqué.

– Dépêchons-nous, la piscine va fermer ! intervint Romain, viens Loup, on s'en va.

– Voir M'man ! Voir P'pa ! À tout à l'heure ! s'exclamèrent Angèle et Romain.

Et ils disparurent, entraînant Loup.

6

– J'espère qu'ils ne vont pas trop tarder, ça fait deux heures qu'ils sont partis, et il est plus de midi…

Papa ouvrit la fenêtre du salon et regarda dehors.

– Je ne les vois pas, ils ont dû s'arrêter chez le pâtissier ou…

Pin-pon ! pin-pon ! pin-pon ! pin-pon !

Un bruit de sirène coupa Papa, une voiture freina sous la fenêtre. La rue s'emplit d'un brouhaha de cris, de portières claquées, d'exclamations, à demi couvert par la sirène.

– Qu'est-ce que c'est que ce bazar ? grommela Papa, mais... mais ce sont les enfants ! Qu'est-ce qu'il leur est arrivé ?

– Il y a quelqu'un sur la civière ! s'exclama Maman accourue au balcon. Romain ! Angèle ! Mon Dieu, ils sont morts !

– Non, Maman, on va bien ! s'écrièrent Angèle et Romain sortant de l'ambulance, c'est Loup !

– Dieu soit loué ! soupira Maman, j'ai eu peur !

La sonnette retentit. Papa alla ouvrir. Deux infirmiers entrèrent portant une civière, suivis par Angèle et Romain.

Sur la civière, Loup reposait, les yeux mi-clos, les oreilles tombantes, la respiration saccadée.

– Que s'est-il passé ? questionna Papa.

– Loup a failli se noyer, répondit Romain, il a bu la tasse puis a coulé d'un coup, le maître nageur a eu juste le temps de le rattraper par les oreilles.

— Cette eau a si mauvais goût que j'ai cru mourir, grogna Loup. Chez nous, l'eau des torrents est fraîche, on se baigne dans les rivières, on nage dans les lacs au printemps quand les oiseaux gazouillent et que la brise du soir fait des vagues d'argent sur le calme des eaux.

— Oh ! le poète, ça va mieux ? intervient l'infirmier, on est revenu de sa petite peur ?

— Hon ! gronda Loup, maussade.

— Il en sera quitte pour une belle frousse… Vous devriez quand même lui payer des leçons de natation…

— Des leçons de natation ! Et puis quoi encore ! protesta Papa.

— Vous pouvez bien faire ça pour votre fils.

— Mon fils ! s'étrangla Papa.

— Tout le monde fait des sacrifices pour ses enfants, insista l'infirmier, et votre fils…

Il s'arrêta brusquement, regarda Loup, regarda Papa, regarda Papa, regarda Loup.

— C'est vrai qu'il ne vous ressemble pas, il a quelque chose de plus que vous… Je ne sais pas quoi, mais… Il a muté ! C'est ça, il a muté ! C'est fréquent maintenant, paraît-il. Tenez, hier, la télé a dit qu'au Japon des grenouilles volaient…

– Sans doute des grenouilles kamikazes, ironisa Papa. Elles attaquent en piqué, comme toutes les rainettes-banzaï !

L'infirmier haussa les épaules puis se pencha vers Loup, toujours couché sur la civière.

– Allez, debout, fiston ! Je n'ai pas que ça à faire, moi, je travaille !

Loup se leva. Les infirmiers replièrent la civière.

– Au revoir et bonne journée, déclara l'infirmier.

Il se dirigea avec son collègue vers la porte, l'ouvrit et, s'arrêtant sur le palier, ajouta :

– En tout cas que cela vous plaise ou non, votre fils, il a muté !

7

Le lendemain, Angèle et Romain sortirent avec leur mère faire des courses. Loup resta à la maison prétextant que le vent était humide et mauvais pour ses bronches.

— Un rhume de loup, vous ne savez pas ce que c'est, soupira-t-il, cela vous emporte en un rien de temps…

— On n'aurait pas cette chance, marmonna Papa.

— Plaît-il ?

— Non, rien, je méditais, répondit Papa, et il se plongea dans son journal.

Loup alla à la cuisine boire un grand verre de jus de carotte. Il revint au salon et s'arrêta derrière Papa.

– J'ai horreur qu'on lise par-dessus mon épaule, grogna Papa.

– Je ne lis pas, je regarde les photos, elles sont superbes, les jouvencelles.

– Les quoi ?

– Les nanas, puisque je dois parler comme vous pour me faire comprendre, elles sont super, surtout celle que vous regardez.

Papa grommela et fit mine de refermer le journal.

– Permettez, permettez, protesta Loup, je n'ai pas fini...

– Ce n'est pas pour vous...

– Vous les regardez bien, vous...

– Ce n'est pas pareil, je suis un homme.

– Et moi ?

– Vous... vous n'êtes même pas un loup...

– Comment je ne suis pas un loup !

– Oui, un vrai loup, vous n'êtes pas un vrai loup.

– Comment pas un vrai loup ! Mais si, je suis un loup ! *Lupus* en latin, avec une vraie nature de loup sauf que je suis végétarien, c'est vrai, mais si tous les hommes étaient végétariens, le monde serait un paradis, personne ne mangerait personne.

– Voilà qu'il philosophe maintenant, soupira Papa. J'héberge un loup végétarien et philosophe.

– Laissons là la philosophie, grogna Loup, je voudrais bien regarder le journal.

– Prenez-le.

– Elles sont mignonnes, soupira Loup. La petite blonde en maillot deux-pièces, elle est appétissante, qu'est-ce qu'elle fait sur le rocher ?

– Rien, elle fait de la pub pour des maillots de bain.

– Ah oui ! les maillots… Au fait quand est-ce qu'on ira à la plage ?

– Hein ! sursauta Papa.

– Oui, j'ai entendu Romain en parler, hier. Il demandait à sa mère quand vous partiez en vacances.

– La date n'est pas encore fixée, répondit précipitamment Papa.

– Vous campez pendant l'été ?

– Jamais ! J'ai horreur des fourmis !

– Alors il faudrait retenir l'hôtel, sans quoi vous n'aurez plus rien à louer.

– Pas de problème, des amis nous prêtent une maison.

– Elle est grande cette maison ?

– Oui.

– Il y a plusieurs chambres ?

– Oui.

– Vous partez quand ?

– Sais pas, maugréa Papa.

– Il vaudrait mieux savoir parce que vous allez être bousculés.

– On verra.

– Quand ?

– Quand il sera temps.

Papa se tut, reprit son journal et s'enfonça dedans.

– Vous avez vu les bermudas en vitrine au coin de la rue, ils sont beaux, hein ? questionna Loup après un court silence.

– Mmm, maugréa Papa.

– Et la casquette avec la visière fluo, Romain en voudrait une.

– Il en a déjà deux.

– Elles ne sont pas fluo.

– Il ne voudrait pas un maillot de bain fluo ou qui éclaire pendant la nuit ?

– Je suis sûr qu'il trouverait ça génial.

– Sûrement, il clignoterait du derrière, au moins on risquerait pas de le perdre dans l'obscurité, grommela Papa.

– J'en ai vu un.

– Un quoi ?

– Un bermuda.

– Oui et alors, grogna Papa, le nez dans son journal.

– Un bermuda à rayures bleues et fleurs jaunes sur fond vert et rouge.

– Ce doit être d'un discret, encore le genre que doit aimer Romain.

– Non, de toute façon, il est trop grand pour lui.

– Tant mieux, ça nous évitera d'être pris pour des zèbres polychromes échappés d'un zoo de fous.

– C'est une grande taille… bonne pour quelqu'un de grand et mince…

Papa ne répondit pas, toujours plongé dans son journal.

– Quelqu'un de mince qui a de longues jambes, insista Loup.

– J'ai ce qu'il me faut, grommela Papa, enfin quand vous voulez bien me laisser mon bermuda.

– Non, ce n'est pas pour vous, vous êtes plutôt court sur pattes, vous vous prendriez les pieds dedans mais il m'irait très bien.

– Quoi ! explosa Papa, il vous irait bien !

– Oui, à la perfection.

– Je suis court sur pattes et le loup que j'héberge veut un bermuda neuf !

– Le vôtre est un peu court pour moi.

– Rien du tout ! tempêta Papa. Ni bermuda, ni maillot, ni casquette, rien ! vous m'entendez ? Rien !

– Et de quoi aurai-je l'air à la plage ?

– À la plage ! Parce que vous comptez venir à la plage !

– Je ne vais pas rester ici, je ne suis pas un chien de garde et puis je risque la dépression, tout seul.

– Il compte venir à la plage ! il compte venir à la plage ! s'étrangla Papa. J'espérais qu'il retournerait à sa tanière avant les vacances ! Et voilà qu'il veut venir à la plage ! et en bermuda !

– Je ne peux pas y aller tout nu !

– Pourquoi pas ? C'est naturel ! Vous êtes bien écolo !

– Écologiste, pas naturiste ! protesta Loup.

– Et là, en ce moment, vous n'êtes pas à poil ?

– Pardon, dans mes poils.

– Bien à poil dans vos poils ?

– Euh, oui…

– Alors où est le problème ?

Loup ouvrit deux fois la bouche et se tut, à bout d'arguments.

La porte d'entrée s'ouvrit brusquement, et Maman entra suivie par Angèle et Romain.

– Ça va, mon chéri, tu ne t'es pas ennuyé ? demanda-t-elle. Loup t'a tenu compagnie ?

– Mmm, grommela Papa.

– C'est un loup de bonne compagnie. Je suis sûre que tu as passé un excellent après-midi avec lui.

– Mmmonnn.

– Ah ! tiens, j'ai profité des soldes à côté. Il y avait des bermudas rouges et verts avec de ravissantes fleurs jaunes sur rayures bleues.

– Hein ! s'étrangla Papa.

– J'en ai pris un pour toi et un pour Loup. Puisqu'on le prend pour ton fils, c'est bien que vous ayez le même, vous serez magnifiques à la plage tous les deux !

8

– **M**’man ! t’as vu Loup ?

Romain entra en trombe dans le salon suivi par Angèle.

– Non, je le croyais dans sa chambre ou avec vous.

– Il n’y est pas.

– Et dans la salle de bains ?

– Sûrement pas, intervint Papa, on l’aurait entendu, il fait assez de bruit.

– Alors, il a disparu ! Loup a disparu ! s’écria Romain. On l’a kidnappé !

– Ou le loup l’a mangé ! s’exclama Angèle.

– On n'aurait pas cette chance, marmonna Papa.

– Mais non, Angèle, tu sais bien que le loup n'a pas pu manger Loup, intervint Maman.

– Tu nous as dit pourtant que les loups mangeaient les enfants.

– Autrefois oui, ils mangeaient les enfants mais pas les loups… Et puis, tu sais, maintenant, les loups ne courent pas les rues.

– Il y en a qu'un qui court les rues, c'est le nôtre, maugréa Papa, le nôtre… Si l'on peut dire…

– Il est peut-être ici ? poursuivit Angèle, caché dans un placard pour jouer à loup y es-tu ? m'entends-tu ?

– J'enfile mes pantalons ! Je connais, grommela Papa, et il sort du placard avec mon jean ou mes bermudas, c'est agréable à porter après lui.

– On va bien voir, répondit Romain.

Et il se mit à crier à tue-tête :

– Loup y es-tu ? m'entends-tu ?

Seul le silence répondit à son appel.

– Tu vois, il n'est pas là, qu'est-ce qu'on va faire, Papa ?

– Tu voudrais peut-être que je passe une annonce ! « Perdu loup, grand, yeux foncés, poil gris, signe particulier : végétarien, chausse du 44. Prière de le ramener 10, rue des Bergers, récompense assurée. »

– Si on demandait aux voisins, ils l'ont peut-être vu ?

– Ah oui, je vais aller sonner chez le voisin, pardon, j'ai perdu mon loup, vous n'auriez pas vu mon loup… Et comment est-il votre loup ? il est gros, il est maigre, il est blanc ? Non, gris comme tous les loups avec du poil de loup, des oreilles de loup, une queue de loup… ah ! j'oubliais… il est peut-être en pantoufles. Oui, il aime bien les pantoufles, surtout les miennes. D'ailleurs vous le reconnaîtrez grâce à ses pantoufles à carreaux verts et rouges.

– Oui, d'horribles carreaux, ajouta Romain. Qu'est-ce qu'elles sont moches tes pantoufles, je me demande comment Loup peut les mettre…

– Je porte les pantoufles qu'il me plaît ! explosa Papa. J'ai le droit d'être à l'aise chez moi sans entendre des réflexions désagréables !

Et furieux, il quitta le salon.

– Vous n'auriez pas dû, les enfants, intervint Maman, vous savez bien qu'il n'aime pas être taquiné à ce sujet.

– J'y peux rien, elles sont nulles ses pantoufles, grogna Romain.

– Supernulles, ajouta Angèle.

– Il faut retrouver Loup, reprit Romain, il a dû sortir ce matin et se perdre. Allez viens, Angèle, on va le chercher.

9

– **M**ais où est-il ? soupira Angèle, sortant de la fourrière avec Romain, où est-il ?

– Je ne sais pas, j'espérais le trouver ici, on aurait pu le prendre pour un gros chien et l'enfermer avec les autres… Allons au zoo, on verra s'il y est…

Ils coururent au zoo, regardèrent les cages, explorèrent chaque recoin. Pas la moindre trace de Loup.

– S'il n'est pas là, où peut-il être ? gémit Romain. Oh ! mais bien sûr, le toilettage pour chiens ! Il passait des heures à se mettre du gel entre les oreilles pour rabattre son épi. Il a peut-être voulu le faire couper.

Le Toutou Chéri, Cador et Mistigri, Toutou, Matou et Cie, le Chien Câlin, Tiques et Puces, tous les toiletteurs furent visités mais aucun n'avait vu un grand chien correspondant au signalement de Loup.

— Je craque, gémit Romain, Loup est perdu, on ne le retrouvera jamais.

— Et les coiffeurs, répondit Angèle, il reste les coiffeurs, il a pu essayer le brushing…

Ils repartirent, regardant à l'intérieur des salons de coiffure sans le moindre résultat.

— Rentrons, soupira Romain, on reprendra nos recherches cet après-midi. On va passer par le square, le chemin est plus court.

Alors qu'ils traversaient le square, ils entendirent un tohu-bohu de claquements de mains, de battements de pieds, rythmant la musique d'un transistor poussé au maximum.

— Qu'est-ce que c'est ? questionna Angèle.

– Sûrement les Krokodil's, une bande qui se réunit derrière le square.

– Je ne veux pas passer par là, murmura Angèle.

– Tu n'as rien à craindre : ils ne se battent qu'avec les Dinosor's, une bande des HLM.

Angèle et Romain sortirent du square et s'arrêtèrent, stupéfaits :

– Loup, c'est Loup !

Sur le trottoir au milieu des Krokodil's, rythmant la mesure, Loup sautait, bondissait sur place, enchaînant des figures échevelées, battant des pieds au rythme de la musique du transistor, soutenu par les claquements de mains des Krokodil's.

– Loup ! c'est toi, Loup ! On te croyait mort ou enlevé !

– Je m'éclate, c'est génial ! s'écria Loup les yeux brillants. C'est le pied !

Et il repartit dans un délire de pas enchaînés.

— Ben ça alors, si je m'attendais, murmura Romain.

— Tu le connais ? questionna un petit brun frisé.

— Oui, c'est un copain, répondit Romain.

— On était là tranquilles, à écouter le Top 50 quand ton copain passe sans nous voir et brusquement d'un coup voilà qu'il part ! comme ça sans dire un mot, ça fait une heure que ça dure !

Loup bondissait toujours, totalement abandonné au rythme de la musique, devant Angèle et Romain ébahis.

— Et avec les oreilles, qu'est-ce que tu fais ? questionna le petit frisé au milieu des rires.

Loup sauta sur ses pieds, saisit la casquette du frisé, se l'enfonça sur la tête et se remit à danser.

— Oh ! les mecs ! voilà les Dinosor's ! cria une voix.

– Il faut s'arracher, on n'est pas assez nombreux, déclara le plus grand des Krokodil's, ça va tourner violent, avec eux, ça craint !

– Salut les mecs ! À la prochaine ! s'exclama Loup. Tiens, voilà ta casquette et appelle-moi Wolfie, mon pote !

– Salut, Wolfie ! répondit le petit frisé et il rejoignit les Krokodil's qui disparaissaient au coin de la rue.

– Viens Loup, il ne faut pas rester là, avec les Dinosor's, ça peut être dangereux, affirma Romain.

Ils s'éloignèrent du square et traversèrent la rue.

– Mais où étais-tu ? On s'est inquiétés pour toi, tu peux pas savoir.

– Le temps était beau, ce matin, hip ! hop ! répondit Loup, toujours dansant. Je suis sorti pour en profiter, je pensais hip ! hop ! rentrer avant que vous ne soyez réveillés, j'ai flâné dans les jardins, Ouahou ! c'était génial ! Et puis j'ai rencontré les potes qui chantaient autour du transistor, ça a fait SPLASSCH dans ma tête ! J'ai vu des milliers d'étoiles, le superpied ! Vous ne seriez pas venus, je restais là jusqu'à ce soir !

— On va rentrer, ça vaudra mieux, coupa Romain.

Il agrippa Loup par le bras et le secoua :

— Arrête un peu tu me donnes le tournis à sauter comme ça. C'est super un moment mais après ça prend la tête.

— Okay, mec, Okay !

— Et surveille ton langage, ajouta Angèle, parce que Papa va nous faire l'infarctus, déjà qu'il fait sa déprime pour les bermudas.

— D'accord, d'accord, soupira Loup.

— Tu as compris Loup ? insista Romain, tu as compris ou je te donne à manger aux Petits Cochons.

10

Il faisait chaud cet après-midi-là. Angèle et Romain tournaient dans l'appartement attendant la fraîcheur du soir pour sortir avec Loup.

Ding, dong !

La sonnette de la porte d'entrée retentit.

Angèle alla ouvrir et revint quelques instants après.

— Pa ! il y a un monsieur qui veut te voir.

— Qui est-ce ?

— Je ne le connais pas. Je ne l'ai pas laissé entrer. Tu nous as toujours dit de nous méfier des inconnus comme les trois biquets devaient se méfier du loup.

Papa alla dans l'entrée. Sur le pas de la porte se tenait un homme vêtu de noir, le visage sombre, l'air sinistre.

— Monsieur, je me présente, déclara l'inconnu, Anatole Rabouni du SSE.

— Du SSE ?

— Oui, le Service de surveillance des espèces.

— Des espèces ? Quelles espèces ? questionna Papa, surpris.

— Espèces animales, sauvages ou domestiques. Nos informations nous disent que vous détenez chez vous un animal sauvage.

— J'ai deux enfants, répondit Papa un peu perdu, turbulents, c'est vrai, mais de là à parler d'animaux sauvages…

— Il ne s'agit pas d'espèce humaine, coupa l'homme sans rire, je ne suis pas chargé de contrôler l'espèce humaine, d'autres services s'en préoccupent, je parle d'animal sauvage. Vous hébergez un fauve, en l'occurrence un loup, est-ce exact ?

— À vrai dire, hésita Papa, je ne sais…

— Ne tergiversons pas, monsieur, coupa sèchement l'homme en noir. Détenez-vous un représentant de l'espèce animale, un mammifère quadrupède, un *lupus* ; pour parler vulgairement : un loup ?

— Loup n'est jamais vulgaire, il parle comme il faut ! protesta Angèle.

— Je peux parfois comprendre l'humour, répondit Anatole Rabouni sans un sourire, mais je ne me contenterai pas de réponses aussi loufoques qu'évasives. Est-il vrai que vous possédez un loup chez vous ?

— Eh bien, eh bien, soupira Papa, empêtré dans ses réponses, à vrai dire…

— Ne cherchez pas à nier, nous sommes bien informés. Nous avons appris que vous possédiez un fauve lupin, ce qui est interdit par la loi.

— Ça, je sais d'où ça vient, maugréa Papa, c'est le voisin du dessus qui a dû cafarder.

Anatole Rabouni entra dans le couloir et déclara :

– Mes fonctions me permettent de perquisitionner chez vous, vous devez tout m'ouvrir : vos armoires, vos placards, vos malles, j'ai le droit de tout regarder jusqu'au plus petit carton pour voir si vous ne cachez pas quelque animal.

– On a des blattes ! s'écria Angèle, ça vous intéresse ? Hier encore, il y en avait plein sous l'évier !

– Des cafards, des punaises, des mites partout ! renchérit Romain, des toutes petites bêtes cachées dans les placards…

– Ne détournez pas cette conversation, déclara l'homme en noir, glacé, et n'essayez pas de me détourner du but de mon enquête. Loup y a-t-il ? oui ou non ?

– Que se passe-t-il, chéri ? demanda maman, sortant du salon. Il y a un problème ?

– Mes hommages, madame, déclara Rabouni en s'inclinant, je me présente : Anatole Rabouni, agent du SSE, Service de surveillance des espèces : en l'occurrence espèce animale.

– Quelqu'un qui cherche la petite bête ! grommela Romain.

– Oh ! mais j'ai fait le ménage encore ce matin ! protesta Maman. Il n'y a pas la moindre bestiole ici, monsieur Rabinou.

– Rabouni, corrigea l'homme en noir, Anatole Rabouni. Je ne cherche pas la petite bête mais un animal plus conséquent, je pense que vous voyez ce que je veux dire ?

– Non, pas très bien, répondit Maman, distraite, un animal plus conséquent… je ne vois pas. Il y a bien mon mari, mais que voulez-vous en faire ?

– Madame, le sujet est grave, soupira Anatole Rabouni, il s'agit de la détention d'animal prohibé, vous détenez un loup.

– Mon Dieu ! s'exclama Maman, comment savez-vous ?

– Je sais tout, madame, le SSE a des antennes et des yeux partout, affirma sombrement l'homme en noir, il sait tout, voit tout, entend tout, rien n'échappe à son regard… Alors, ce loup, où est-il caché ? Ne m'obligez pas à faire appel à la force publique.

– Est-il sorti ? souffla Papa à Romain.

– Non, il est allé faire sa sieste comme d'habitude, répondit Romain à voix basse, il est dans sa chambre.

– C'est cuit, gémit Papa, je suis bon pour la prison, j'irai moisir en cellule avec tous les loubards du quartier.

– Alors ? questionna Rabouni un peu sec, me laisserez-vous perquisitionner ?

– C'est que, avança Maman, je ne…

– La vérité est que Maman n'a pas fini le ménage, monsieur Rabouilli, intervint Angèle, ça l'ennuie de vous montrer l'appartement comme il est, surtout le coin de Romain…

– C'est vrai, il y a du désordre, affirma Maman, revenez dans une heure, j'aurai rangé.

– Et fait disparaître le corps du délit ! le *corpus delicti* ! Escamoté le *lupus delicti* ! À mon nez et à ma barbe ! Eh bien, non, je ne marche pas, sourit froidement Rabouni. D'ailleurs vous savez, je suis habitué aux tanières douteuses, j'en visite souvent, alors une de plus, une de moins…

— Je ne vous permets pas, intervint Papa, vous n'avez pas à parler ainsi, cette tanière est… euh, cette maison est honnête et si nous hébergeons…

— Ah, ah ! vous hébergez, ricana Rabouni, étrange et plus qu'étrange, même… Eh bien, nous allons en avoir le cœur net.

Et il entra dans la cuisine.

11

– **L**à, c'est le placard à blattes ! s'exclama Angèle, désignant le dessous d'évier, regardez si ça vous intéresse !

L'homme en noir la fusilla du regard.

– Je recherche un autre gibier, grinça-t-il, et quand je l'aurai, il lui en cuira et à vous aussi, soyez-en sûre.

Il inspecta la cuisine, ouvrit les placards, remua les balais, jeta un coup d'œil derrière les boîtes de conserve.

– Rien ici, maugréa-t-il, voyons ailleurs.

Il passa dans le couloir et fouilla les placards.

– Non, rien, murmura-t-il, des vieilleries, sans intérêt.

Rabouni referma sèchement la porte du placard.

– L'absence de preuve n'est pas une preuve d'innocence, au contraire. L'absence d'indice montre seulement que l'on a fait disparaître les indices. Cela indique que je suis sur la bonne piste, déclara-t-il avec un sourire sinistre.

Il entra dans le salon, examina les fauteuils et la moquette à la loupe.

– Pas le moindre poil, grogna-t-il. Ah si, j'en tiens un !

Il tira de dessous le canapé un long fil blond.

– C'est la preuve ! s'écria-t-il, les yeux brillants, voici un poil de bête !

– Un poil de bête ! s'écria Maman, restez poli, tout de même ! C'est un de mes cheveux, regardez, il est blond ! Où avez-vous vu des loups blonds ?

– Chez les coiffeurs, pouffa Angèle. Les loups adorent les teintures, le brushing, la manucure, vous ne saviez pas ?

– Je vois, gronda Rabouni, on essaie de me faire devenir chèvre, mais je ne marche pas, je suis patient, têtu…

– Comme un mulet, souffla Angèle.

– Comme un… riez, riez, jeune fille, déclara sombrement Rabouni, vous verrez quand vous partirez tous à la fourrière, vous verrez comme la vie est belle derrière les barreaux d'une prison. Je note, grinça-t-il en sortant un carnet : « L'absence du loup recherché indique bien le désir de faire disparaître toute trace dudit loup ».

Il referma son carnet et déclara, sombre :

– Poursuivons… Mais voici qui est intéressant ! s'exclama-t-il, se penchant vers la table basse. Qu'est-ce que c'est que ça ?

– Un bouquin que j'ai emprunté, répondit Papa.

– Oui, et quel livre ? comme par hasard : *La Nuit du loup-garou*, c'est probant.

– Mais…

– Mais quoi ? « Début de preuve concrète, nota Rabouni, le suspect se repaît de mauvaise littérature concernant les loups, possède chez lui *La Nuit du loup-garou.* »

– Ce n'est pas à moi ! protesta Papa, je l'ai emprunté et je dois le prêter à un collègue de bureau.

– De mieux en mieux, sourit sinistrement Rabouni, « le suspect reconnaît répandre des informations suspectes concernant les loups. Continuons, je sens que je suis sur la bonne piste. »

Il referma son carnet et continua son inspection, furetant partout sous les fauteuils, derrière la télé, grinçant des dents, s'exclamant de joie ou rageant de dépit, ouvrit le buffet, fourra son nez dans les étagères, déplaça les services et les assiettes bien rangées.

– Faites attention ! s'écria Maman, c'est fragile !

– J'ai une main de fer pour la justice mais la main légère pour la porcelaine, ne craignez rien, affirma Rabouni.

Il s'arrêta un instant, contempla le salon et, dépité, murmura :

– Rien, rien de rien, pas le moindre… Mais qu'est-ce donc ? s'exclama-t-il, regardant un pot de fleurs.

Il se pencha vers le caoutchouc en pot qui trônait sur une table dans un coin de la pièce.

– Ce sont des traces de dents de loup ! s'écria-t-il.

– Catastrophe ! c'est le caoutchouc que Loup a mâchonné un soir qu'il avait faim, murmura Romain, atterré. Papa en a fait toute une histoire.

– Des dents de loup ! Ce sont bien des dents de loup ! s'extasia Rabouni. La preuve ! je tiens la preuve !

– C'est moi qui ai fait ça, affirma Romain, j'ai fait le loup pour faire peur à ma sœur et j'ai mordu la plante.

– Moi aussi, un soir que j'avais faim, ajouta Angèle. J'adore ces belles feuilles larges et grasses.

– Je crois bien que moi aussi, assura Maman, j'ai eu une crise de végétarisme, je n'ai pas pu m'en empêcher.

— J'avoue que j'y ai mis la dent aussi, renchérit Papa. Après avoir lu *La Nuit du loup-garou*, je me sentais bizarre.

— Tsst, tsst, sifflota Rabouni, jubilant. Je sais reconnaître les dents de loup, c'est mon métier, je ne me trompe jamais, ça sent le loup ici, je le sens, ça sent le loup…

Il se dirigea vers une porte et l'ouvrit.

— La salle de bains, elle est vide…

— Vous pensiez trouver un loup dans la baignoire prenant son bain en sifflotant ? questionna Angèle. C'est vrai que les loups adorent se bichonner et se parfumer, surtout avec *Chenil 5*, le parfum qui a du chien.

Rabouni grommela, inspecta soigneusement la salle de bains.

— Rien ici comme ailleurs, les traces ont disparu.

Il poursuivit son inspection. Entra dans la chambre de Romain et d'Angèle, grimaça devant le désordre du coin de Romain où s'entassaient ses BD et ses baskets.

— Vous ne trouvez pas, monsieur Rabougri, que cela sent le loup ? questionna Romain, lui mettant ses baskets sous le nez.

Rabouni écarta les chaussures d'un air écœuré.

— On cherche à me faire craquer, grinça-t-il, mais je tiendrai jusqu'au bout, je ferai mon devoir jusqu'à l'extrême limite de mes forces. Encore deux pièces…

Il respira un grand coup et entra dans la chambre des parents. Là, tout était en ordre et resplendissait de propreté.

— Encore des indices effacés, grogna-t-il, on s'est hâté de faire disparaître toute trace du fauve, je note…

Il regarda sous le lit et ouvrit la penderie.

— Je sens quelque chose ! s'écria-t-il, enfonçant son bras parmi les manteaux, je sens sa fourrure ! Je le tiens ! C'est lui ! c'est le fauve !

Il retira brusquement le bras et brandit un manteau.

– Mon manteau ! protesta Maman, vous n'avez pas le droit !

– Vous l'avez tué pour faire disparaître toute trace, avouez !

– C'est du lapin ! de la simple peau de lapin !

Rabouni contempla le manteau d'un air dégoûté.

– Du lapin, grogna-t-il, de la vulgaire peau de lapin.

Et il laissa tomber la peau avec dédain.

– Je note, on m'a aiguillé sur une fausse piste par l'intermédiaire d'une peau de lapin mais je n'abandonne pas.

Il referma le placard et ajouta :

– Il reste une pièce, mon flair me dit que c'est là que se tient le fauve, je le sens…

– On est cuits ! gémit Papa, je finirai au cachot.

– On est perdus ! soupira Maman.

– Aïe ! Aïe ! pauvre Loup ! gémirent Angèle et Romain.

– Je brûle, je sens que je brûle, ricana Rabouni, saisissant la poignée de la porte.

Il tourna la poignée et entra dans la chambre.

12

– **O**ui ? qu'est-ce que c'est ? qu'est-ce qu'il y a ? questionna une voix chevrotante, au fond de la pièce plongée dans l'obscurité.

Rabouni s'avança et découvrit au fond de la chambre une forme ramassée sur elle-même, assise dans un fauteuil.

– Qu'est-ce qu'il y a, mes enfants ? chevrota encore la voix.

– Mais, mais, bredouilla Papa, sur les talons de Rabouni.

– Ça suffit, gamin, cesse de m'appeler Mémé, j'ai horreur de ça, ça fait vieux jeu, appelle-moi Mamie.

– C'est Loup, souffla Romain à l'oreille d'Angèle, il s'est déguisé en grand-mère.

– Que veux-tu, mon fi ?

– Moi rien, répondit Papa, c'est monsieur…

– Rabouni, Anatole Rabouni, déclara Rabouni s'inclinant, agent du SSE pour vous servir.

– Servir à quoi ? grinça la voix.

– À… euh, enfin…, bredouilla Rabouni démonté, c'est une façon de parler.

– De parler pour ne rien dire, chevrota Loup, enfoncé dans une longue robe noire, la tête couverte d'un grand foulard à fleurs et le museau enfoui dans un immense col de dentelles blanches.

– Et vous êtes un ami de mon petit-fils, monsieur Racroupi ?

– Rabouni, madame, Rabouni.

– Je ne suis pas madame Rabouni, vous faites erreur, coupa Loup, toujours chevrotant.

– Je voulais dire que mon nom est Rabouni.

– Je sais, j'ai entendu, grinça Loup, acerbe, je ne suis pas sourde encore, j'entends bien… Et vous êtes un ami de mon petit-fils ?

– À vrai dire, pas tout à fait…

– C'est un brave garçon, vous savez ; pas bien futé, mais un brave garçon quand même.

Papa grommela, furieux.

– Qu'est-ce que tu dis, gamin ?

– Rien, grogna Papa.

– J'avais cru t'entendre ronchonner. Tu es comme ton père, tu ronchonnes toujours pour rien… Qu'est-ce que je disais ? Ah oui, pas très futé mais un bon garçon. Heureusement qu'il y a ses enfants. Je m'ennuierais bien sans mes petits loups. Où sont-ils mes petits loups ?

– On est là, Mamie ! s'écrièrent Angèle et Romain se jetant dans ses bras.

– Ils sont mignons, chevrota Loup, regardez comme ils sont mignons, je me demande comment mon petit-fils a pu avoir des enfants si mignons… Regardez-les, des petits loups d'amour !

Angèle et Romain se serrèrent contre Loup en pouffant.

– On va te manger, Grand-Mère ! s'exclama Angèle, montrant ses dents. Comme le Petit Chaperon Rouge !

– Oh ! vous auriez bien du mal, protesta Loup toujours chevrotant, je suis bien maigre, vous n'auriez pas grand-chose à vous mettre sous la dent, il vaut mieux croquer quelqu'un d'autre, monsieur Rabouilli par exemple.

– Beuh ! firent en chœur Romain et Angèle.

Et ils éclatèrent de rire en s'enfonçant dans les plis de la longue robe noire.

– Et gais comme des pinsons, cela réchauffe le cœur d'une vieille femme comme moi de voir ses arrière-petits-enfants gambader et rire autour d'elle. Et vous monsieur Rabougri, vous avez des enfants ?

– Rabouni, madame.

– Je sais, chevrota Loup, mais vous ne me répondez pas.

– Non, madame, ni enfants ni petits-enfants.

– C'est mieux pour eux, marmonna Loup entre ses dents, je te dis pas la tête des Rabounots et des Rabounettes s'il en avait eu…

– Pardon ?

– Je disais que c'est bien triste, c'est se priver de grandes joies, vous savez. Faites un bisou à votre vieille mamie, mes enfants.

Romain et Angèle embrassèrent Loup sur les joues en riant aux éclats.

– Et toujours à rire, ces petits loups, cela me fait chaud au cœur, chevrota Loup, le nez dans ses dentelles.

– Je ne vous vois pas très bien, déclara Rabouni, cette pièce est obscure, je…

– C'est exprès, ma vue est bien malade, gémit Loup, je dois vivre dans la quasi-obscurité.

– Et vous êtes seule ici ? questionna Rabouni, furetant du regard dans tous les coins de la pièce.

– Non, j'ai mon petit-fils et ses enfants.

– J'ai bien vu, insista Rabouni, mais dans cette chambre ?

– Vous croyez que j'héberge un homme, chevrota Loup d'une voix outrée. À mon âge vous savez, le loup ne vous court plus après, et on a bien du mal à le rattraper…

– Bien sûr, bien sûr, affirma Rabouni, démonté. Mais tout de même, vous n'avez vu personne dans cet appartement, ces jours-ci ?

– Si.

– Ah ! soupira d'aise Rabouni.

– Le facteur qui est venu me porter ma pension. Désagréable, gros, gras, le cou court, des petits yeux porcins, le nez comme un groin, grognant toujours pour un rien, un mauvais caractère, une vraie tête de cochon.

– On est comme on est, soupira Rabouni.

– Et pas autrement, chevrota Loup.

– C'est bien vrai, renchérit Rabouni.

– C'est sûr, affirma Loup, vous n'êtes pas autrement que ce que vous êtes, vous êtes bien différent du facteur. Ah, oui ! s'exclama Loup, toujours chevrotant dans ses dentelles, vous n'êtes pas petit et gros, bien au contraire…

Il ajusta ses lorgnons sur le nez.

– Que vous êtes grand !

– Comme mon père, sourit Rabouni.

– Que vous avez de grands bras !

– C'est… c'est pour mieux embrasser…

– Que vous avez de grands pieds !

– C'est pour mieux marcher, maugréa Rabouni.

– Mon Dieu ! Que vous avez de grandes oreilles !

– C'est pour mieux entendre, bafouilla Rabouni.

– Que vous avez de grands poils dedans !

– C'est pour mieux attraper les mouches, pouffa Angèle.

– Que vous avez une grande bouche !

– C'est pour mieux avaler.

– Que vous avez de grandes dents, dedans !

– C'est pour mieux mâcher.

– Que vous avez un grand nez !

– C'est… c'est pour mieux respirer.

– Et de grosses narines !

– C'est pour…

– Et de gros trous de nez !

– C'est…

— Et un grand poil sur le nez ! et de gros sourcils ! et de gros doigts ! et de grosses verrues sur les doigts ! et de gros poils sur les verrues ! et…

— Ça va ! ça va ! coupa précipitamment Rabouni. Madame, je vous prie d'excuser mon intrusion. Je vous salue, madame, et vous souhaite une bonne journée.

— Au revoir, monsieur Rapourri, chevrota Loup, ce fut une joie de parler avec vous.

Rabouni quitta la chambre. Dans le salon, Papa et Maman attendaient, prêts à exploser de rire.

— Eh oui, eh oui, sourit Papa, j'ai ma vieille grand-mère à la maison. Comme elle est très âgée, on la garde ici, elle surprend un peu mais nous l'aimons bien.

— J'ai fait chou blanc, grommela Rabouni, c'est bien la première fois de ma vie que j'échoue.

— Le voisin a dû la voir sur le balcon, un soir quand elle prenait l'air, et il a dû confondre…

— Possible, possible, marmonna Rabouni, mais j'ai perdu ma journée…

Papa l'accompagna jusqu'à la porte.

— Peut-être pas, déclara-t-il. Vous savez, il paraît que le voisin du dessus a un yeti chez lui, vous devriez aller voir, cela peut vous intéresser.

13

– Loup, tu as été génial ! s'exclama Romain, une fois la porte refermée sur Rabouni.

– Supergénial ! renchérit Angèle.

– Je me demandais comment on allait s'en sortir, déclara Papa, je me voyais déjà les menottes aux poings, croupissant dans une cellule infestée de rats.

– J'ai failli exploser tellement je riais en dedans, assura Maman, j'ai cru ne jamais pouvoir tenir.

– En grand-mère ! hoqueta Romain, riant aux larmes, Loup déguisé en grand-mère, jamais je n'aurais cru cela !

— Et ça a marché ! Vous avez vu la tête de Rabouni ?

— Et quelle tête ! Mon Dieu, que vous avez de grandes dents ! que vous avez de grands pieds ! que vous avez un grand nez ! Il tirait un tarin, le Rabouilli !

— Et Loup le nez dans ses dentelles ! pouffa Angèle, on lui voyait juste les yeux !

— Où avez-vous trouvé tout ça ? questionna Papa.

— Dans l'armoire sur l'étagère du haut.

— Pour une fois ces vieilleries auront été utiles.

— Des vieilleries ! protesta Maman, ce sont des souvenirs de mes grands-parents !

— J'ai tout entendu, intervint Loup. Je faisais la sieste et le bruit des voix m'a réveillé. Quand j'ai compris que Rabouni allait rentrer dans ma chambre, j'ai fouillé dans l'armoire, enfilé les vêtements et attendu le Rabouilli dans le fauteuil.

– Qu'est-ce que tu étais bien en grand-mère ! s'exclama Angèle. Tu nous le referas, dis ?

– Vous auriez tout de même pu éviter certaines réflexions à mon sujet, maugréa Papa, un peu pincé.

– C'est le rôle qui voulait cela, déclara Loup. Vous aussi vous avez été très bien, mes petits loups.

– Des petits loups d'amour ! pouffèrent Angèle et Romain. Et la tête du Rabouni quand tu l'appelais Rabouilli, Racroupi, Rapourri.

– Et Maman qui l'appelait Rabinou !

– Qui craint le méchant Rabinou, c'est pas nous ! c'est pas nous ! chantèrent Angèle et Romain, c'est pas nous, pas nous !

– Pas si fort, coupa Papa, si jamais il entendait ! Il est peut-être là encore, derrière la porte.

– Penses-tu, il est parti honteux et le nez bas, dit Maman. Mais je me demande qui a bien pu lui raconter que nous avions un loup.

– C'est le voisin du dessus, j'en suis sûr, affirma Papa, il m'a questionné à plusieurs reprises de façon bizarre, je n'y ai pas prêté attention mais maintenant j'ai compris. Tant pis pour lui, c'est à son tour à présent de se débrouiller avec Rabouni.

– Pourquoi donc ?

– J'ai dit à Racroupi que le voisin du dessus avait un yeti chez lui. Si ça se trouve, il a dû grimper à l'étage pour voir si c'était vrai.

– Je le vois d'ici, rit Maman, Rabinou fouillant dans tous les coins. Et ce yeti ? hein, où l'avez-vous caché ? Où est-il ce yeti ? Yeti ou yeti pas ? L'œil sur la moquette, inspectant le moindre détail… Et ça ? Ce ne sont pas des traces de pieds de yeti, peut-être ?

– Non, monsieur, répondit Papa, imitant la voix du voisin, ce sont mes pantoufles humides en sortant de la salle de bains qui ont laissé ces traces.

– Et ça, là, caché sous un coussin, ce n'est pas du poil de yeti, peut-être ?

– Non, monsieur, c'est mon chat qui mue.

— Il va regarder partout dans les chambres, la cuisine, la salle de bains, cherchant la moindre trace de yeti.

— Et les placards, hein ! que cachez-vous dans les placards ?... Ah, des cartons à chaussures ! Et qu'y a-t-il dans ces cartons ?

— Mais enfin, comment voulez-vous que je cache un yeti dans un carton à chaussures !

— Pourquoi pas s'il s'agit d'un yeti nain ?... Et le Frigidaire ?

— Quoi le Frigidaire ?

— Il aime bien le froid ce yeti, il fait peut-être sa sieste dans le freezer... D'ailleurs, je verrai bien s'il y a du poil dans les glaçons.

— Je lui souhaite bien du plaisir au voisin, déclara Papa, hilare, Rabouni tu as voulu, Rabouni tu as eu...

Il hoqueta :

— Sacré Rabouni, tu nous auras bien fait rire quand même !

– Je vais mettre un peu de champagne au frais, on le boira pour fêter une telle journée et les vacances…

– On part bientôt ! s'écrièrent Angèle et Romain.

– Oui mes petits loups, dans trois jours. Samedi, en route pour la Grande Bleue !

14

– En voiture ! s'écria joyeusement Papa.

Il claqua la portière et s'installa au volant.

– Tu as tout, chérie ? les maillots, les produits pour bronzer ? Tu n'as pas oublié tes lunettes de soleil, au moins ?

– Non, non, j'ai tout.

– Et vous les enfants, vous n'avez rien oublié ? ni vos maillots ni vos T-shirts ?

– Non.

– Alors c'est parfait, on peut partir.

– Attendez ! s'écria Loup.

– J'avais fini par l'oublier, celui-là, soupira Papa, depuis deux jours on ne l'entendait plus, il s'était fait discret… Qu'est-ce qui vous arrive encore ? Vous avez les poils qui rebiquent, les oreilles ou la queue coincées dans la portière ?… Non, on vous aurait déjà entendu hurler…

– Je crois que j'ai oublié mon bermuda, bougonna Loup, fourrageant dans le fond de son sac.

– Grrr !… gronda papa, serrant les mâchoires.

– Ah non ! il est là avec ma casquette, on peut partir.

– N'oubliez pas de mettre la ceinture, c'est obligatoire maintenant à l'arrière.

– Ça me gratte, grogna Loup.

– Comment, ça vous gratte ?

– Oui, sur le nombril.

– Montez-la plus haut.

– Plus haut, ça me serre, j'ai l'estomac tout estranciné.

– Tout quoi ?

– Tout estranciné, tout retourné, tout chose.

– Qu'est-ce que c'est que ce charabia ?

– C'est du marseillais.

– Vous parlez marseillais ?

– Oui, c'est un cousin qui me l'a appris.

– Un cousin loup ?

– Oui, un cousin loup, qu'est-ce que vous croyez, mes parents ne sont pas des bœufs.

– Un loup marseillais ? Vous vous payez ma tête ?

– Pas du tout, il habitait la Canebière mais il est parti élever des chèvres dans les collines, la ville le déprimait.

– Il se moque de moi, marmonna Papa. Bon, je ne vais pas gâcher mes vacances par sa faute.

Il respira un grand coup.

– Tout le monde est prêt ? Attachez vos ceinture, les enfants.

Clac !

– Ouille ! je me suis coincé les poils ! gémit Loup.

– Ça ne fait rien, c'est parti ! s'exclama Papa. Il démarra en trombe et sortit rapidement de la ville.

La voiture roulait, Papa sifflotait, Angèle et Romain se disputaient une BD, Loup fermait les yeux et gémissait doucement.

– Ça ne va pas, Loup ? Tu es tout blanc.

– Ça va trop vite, le paysage s'en va à toute allure, je ne me sens pas bien, j'ai l'estomac qui glougloute, la tête qui vrombit, les intestins qui torticolent, les…

– Et la rate qui se dilate, les os qui se désossent, le bassin qu'est pas sain et puis quoi encore, gronda Papa. On va faire de l'anatomie encore longtemps comme ça ?

– Je vais vomiIIIIR ! s'écria Loup.

– Pas dans la voiture ! hurla Papa.

Il freina brusquement, se gara sur le bas-côté, jaillit de l'auto et tira Loup de l'arrière.

– J'accepte tout : les bermudas à fleurs, les hurlements la nuit, mes pantoufles qui disparaissent, même être pris pour son père, tout ! mais pas qu'il vomisse dans ma voiture. Si cet animal n'est pas bien qu'il aille en vacances à pied.

— Ce sont bien là des propos d'homme, gémit Loup, vous profitez de ma faiblesse pour m'humilier.

— Je ne cherche pas à vous humilier, ce n'est pas vrai.

— Je ne suis qu'une pauvre bête malade et vous me traitez comme un homme.

— RRRRRR !… gronda Papa.

Et pour se calmer il alla arroser un arbre.

On bichonna Loup, on lui fit prendre un peu d'alcool de menthe sur un sucre.

— Ça fait du bien, soupira Loup, c'est frais sur la langue, ça sent la campagne au petit matin quand la rosée est fraîche, que les oiseaux chantent dans les arbres, que le vent frais vous caresse les oreilles comme une main affectueuse et que le parfum des jonquilles vous tourne la tête.

— Et qu'il y a encore six cents kilomètres à faire, coupa Papa. On n'est pas arrivés au train où l'on est partis. Je ne voudrais quand même pas dormir à la belle étoile cette nuit, même si la lune est belle et que le vent frais de la nuit me caresse les oreilles et que les fourmis me chatouillent les pieds.

— Aucun sens de la poésie, soupira Loup.

— La poésie des loups m'importe peu, coupa Papa, j'aimerais bien passer mes vacances comme tout le monde au bord de la mer à bronzer et à profiter du soleil… On peut repartir maintenant ?

— Oui, je me sens mieux, déclara Loup, ce n'était qu'un mauvais passage. Avec un peu de menthe, des petites pauses régulières, de l'air frais et un peu d'affection, je m'habituerai très bien.

15

– **O**n arrive ! s'exclama Papa.

Il pianota sur son volant et se mit à chanter à tue-tête :

– *La mer qu'on voit danser le long des golfes clairs !…* On n'est pas loin, je sens déjà l'odeur des vagues, sentez, les enfants.

– C'est ça qui sent ? renifla Loup, c'est bizarre comme odeur, on dirait…

– On dirait quoi ?

– Je ne sais pas, c'est bizarre.

– C'est la mer qui sent ainsi, répondit Romain. Quand le vent est marin, ça sent encore plus fort, tu verras, c'est super !

– Ça promet, une pareille odeur dans les narines à longueur de temps…

– Si ça ne vous plaît pas, bouchez-vous les naseaux, déclara Papa.

– Les naseaux ! Je ne suis pas un bœuf ! protesta Loup. Et si mes narines sont délicates, c'est la nature qui l'a voulu ainsi.

– La nature… si la nature avait jugé bon que les loups aillent à la mer, vous auriez des écailles.

– Et vous, vous en avez des écailles ?

– Arrêtez tous les deux, s'il vous plaît, intervint Maman, on est en vacances pour en profiter, alors laissez les disputes, oublions le travail, le mauvais temps, les soucis…

– Et Rabouni ! s'écria Angèle, plus de soucis, plus de Rabouni !

– Vous savez où il est Rabouni ? pouffa Romain, devinez ?

– Je ne sais pas, répondit Papa, le regard fixé sur la route, et c'est le cadet de mes soucis.

— Devant le fleuriste à côté de chez nous, il est en planque là.

— Qu'est-ce qu'il fait ?

— Il guette.

— Il guette quoi ?

— L'éleveur de girafes naines.

— Hein ! sursauta Papa.

— Comme il rôdait encore dans le quartier avant-hier, je lui ai dit qu'il y avait par là un éleveur clandestin de girafes naines et que l'éleveur les nourrissait de bonsaïs. Alors depuis deux jours, il surveille le fleuriste pour voir qui achète des bonsaïs. Il y était ce matin quand on est partis, caché derrière un arbre, l'œil aux aguets, le carnet à la main.

— Ce n'est pas vrai, tu ne lui as pas fait ça ! s'exclama Maman, ce n'est pas très charitable !

— Tant pis pour lui, il n'a que ce qu'il mérite, affirma Papa. S'il avait pu, il nous aurait fait enfermer en cage jusqu'à la fin de nos jours.

— Qui craint le méchant Rabinou, c'est pas nous ! c'est pas nous ! chanta Angèle à tue-tête, qui craint le méchant Rabinou, Bounou ! c'est pas nous, pas nous !

– Arrête ! protesta Romain, tu chantes comme un sabot !

– C'est toi qui entends comme un sabot !

– Ça suffit les enfants ! coupa Maman, on est en vacances alors pas de dispute !

– C'est loin encore ? questionna Angèle. Il fait chaud dans cette voiture.

– J'ai la langue toute sèche, grogna Romain.

– Et moi donc, marmonna Loup, j'ai les dents qui collent.

– On arrive, affirma Maman, regardez : voilà le rond-point avec les palmiers, vous le reconnaissez ?

– Oui, super ! la maison est au bout de la petite rue.

– Et nous y voilà ! s'écria Papa, s'engageant dans la rue. Les vacances, le calme, le soleil, la bronzette, tout ça pendant un mois ! Youpie ! la vie est belle !

Il s'arrêta devant une maison aux volets verts.

Angèle et Romain sautèrent de la voiture suivis par Loup.

– Où est la mer ? questionna Loup, je ne la vois pas.

– Juste derrière, répondit Romain, il faut traverser la route… Mon maillot ! Où est mon maillot ? M'man ! Angèle m'a piqué mon maillot !

– Qu'est-ce que j'en ferais de ton maillot ! On dirait un sac à patates !

– T'as pas vu le tien !

– Ça suffit ! coupa Papa. Aidez-moi plutôt à descendre les bagages, ça vaudra mieux.

– Et la plage ! protesta Romain, c'est déjà tard, si on n'y va pas maintenant, on n'ira pas ce soir et demain s'il y a du vent…

– Ou s'il pleut…

– Ou s'il neige…

– Ou si la mer déborde, on n'ira pas de tout l'été !

– Bon, ça va, allez-y, soupira Papa. J'aime encore mieux sortir les valises seul que vous avoir dans les pieds.

– Youpie ! Viens Loup, on va se baigner !

Romain et Angèle détalèrent, suivis par Loup. Ils tournèrent derrière la maison, traversèrent la route, escaladèrent la dune de sable brûlant et déboulèrent sur la plage.

– Oh !

Loup s'arrêta, stupéfait, et contempla les vagues qui battaient le sable.

– C'est grand, déclara-t-il, les yeux ronds, et c'est bleu.

– C'est la mer, Loup, c'est bleu et c'est grand.

– On s'y baigne ?

– Oui, comme dans un lac. Allez on y va, mets ton maillot !

En un clin d'œil, Loup enfila son maillot et sauta dans les vagues où Romain et Angèle nageaient déjà.

– Attention, j'arriiiiiive !

Splaaasssshhhh !

– Beuh ! c'est dégoûtant ! hurla Loup. Quel est l'idiot qui a mis du sel !

Il toussa, cracha, éternua, agitant bras et jambes comme un perdu.

– C'est saléééé ! Beuh ! je vais mourir !

– C'est la mer, Loup, c'est normal qu'elle soit salée ! s'écria Romain. Évite de rester la bouche ouverte quand tu nages !… Allez, respire un bon coup, plonge la tête, souffle, nage, ressors la tête, respire…

– Ça pique les yeux, je ne pourrai jamais nager là-dedans.

– Tais-toi et nage !

– Blebleblegloup !

– Continue, Loup, continue, tu verras : demain, tu seras tellement bien que tu ne pourras plus t'en passer.

16

– **P**'pa ! Rocky Réséda est là, demain ! Elle donne un maxi-concert ! Dis P'pa, on peut y aller ?

– Allez où ? grogna papa.

Il ouvrit un œil et grommela :

– Jamais moyen de faire la sieste avec vous !

Il s'agita sur le sable.

– Ouille ! j'ai encore grillé ! Le soleil a tourné, et mon dos a pris, une fois de plus. J'ai dû changer deux fois de peau depuis mon arrivée, ce sera la troisième… Déplace le parasol, Romain.

Romain déplaça le parasol pour couvrir d'ombre son père et sa mère qui bronzaient côte à côte depuis des heures sur la plage.

– On peut aller voir Rocky Réséda, dis P'pa !

– Bégonia ? quel bégonia ? maugréa Papa. Tu t'intéresses aux fleurs, maintenant, c'est nouveau.

– Pas bégonia, Papa, mais Réséda. Rocky Réséda tu sais la superchanteuse rock, elle est géniale ! Tu connais son dernier tube : *Love Cannibale*, c'est le meilleur.

– *Love Cannibale…* c'est une plante carnivore à coup sûr, elle doit boulotter ses musiciens à la fin pour corser le spectacle. Et qu'est-ce que vous voulez faire avec Rocky Zinnia ?

– Réséda, P'pa, Rocky Réséda. On voudrait aller au concert avec Angèle, un supermaxi concert avec cinquante musiciens et la sono à t'éclater.

– À t'éclater quoi ?

– Les oreilles, P'pa, c'est génial !

– Génial ! À s'éclater les oreilles ! Tu deviendras sourd à écouter ces musiques…

– Qu'est-ce qu'il y a, chéri ? questionna Maman, ouvrant un œil. Ça fait des heures que je t'entends ronchonner, j'aimerais bien bronzer tranquille.

– C'est Romain, à cause de Rocky Hortensia.

– Hortense ? Quelle Hortense ? murmura Maman. La seule Hortense que je connaisse c'est ma tante, une enquiquineuse comme il n'y en a jamais eu.

– Réséda, M'man, pas Hortensia.

– Alors c'est pas ma tante, balbutia Maman, elle déteste les résédas. Ma crème à bronzer, où est-elle ?

– Elle est là, M'man ! s'exclama Romain.

Il tendit le tube à sa mère.

– On peut y aller, M'man ?

– Demande à ton père, répondit Maman. Moi je n'aime que les plantes exotiques.

Elle étala de la crème sur ses bras et se rallongea.

– Au concert rock ! protesta Papa. Ils veulent aller au concert rock ! Il y aura un monde fou, vous risquez de vous perdre, d'être maltraités ou enlevés, et moi, je ne peux pas vous accompagner, le rock me rend malade.

– Ça fait rien, on ira avec Loup.

– Avec Loup ? Vous voulez aller au concert avec Loup ?

– Bien sûr ; il aime ça, je suis sûr qu'il prendra son pied.

– Il prendra son pied, Loup prendra son pied, soupira Papa. C'est incroyable, je ne sais pas ce que je vis avec vous… un loup végétarien qui aime le rock, demain il jouera de l'accordéon ou du saxo…

– L'accordéon, c'est ringard, coupa Romain, et depuis qu'il a découvert le rock avec les Krokodil's, il est superbranché, Loup.

– Ça, j'ai remarqué, grogna Papa, les bermudas à fleurs, les casquettes à visière de trois mètres de long, les T-shirts à inscriptions : *I Love You C'est moi votre loup d'amour Caressez-moi, je craque*, la planche à voile, le funboard, le beachvolley, et maintenant fan de Rocky Azalée…

– Chéri, sois gentil avec les enfants, murmura Maman, et laisse-moi dormir, tu peux bien payer quelques fleurs à Romain, c'est peut-être pour offrir à une copine…

– Bon, ça va, j'ai compris, soupira Papa.

Il plongea la main dans sa poche, chercha son portefeuille.

– Combien c'est ?

– C'est pas cher ! s'écria Romain, c'est deux cents francs !

– Deux cents francs comment ?

– Deux cents francs la place.

– Hein ! mais ça fait quatre cents francs !

– Il y a Loup, n'oublie pas Loup !

– Ça fait six cents francs ! Six cents francs pour un concert rock !

– C'est un maxi-superconcert, Rocky n'en donne qu'un seul ici !

– Superconcert ou pas, il n'en est pas question !

– Mais P'pa…

– N'insiste pas ou je vous noie tous les trois : toi, Angèle et le fauve à bermudas, quitte à me noyer après. Maintenant, va jouer avec tes copains et laisse-moi bronzer tranquille.

•

– Non, non et non, je ne veux pas que vous alliez à ce concert, c'est inutile d'insister !

Le repas du soir s'achevait, et Papa, l'œil sombre, s'énervait face à Romain.

– Pourquoi ?

– Les places sont trop chères, et ce concert n'est pas de votre âge.

– Alexandre y va avec son frère, et il est plus jeune que nous ! protesta Angèle.

– Si les parents d'Alexandre lui laissent faire ses caprices, c'est leur problème mais moi, je dis non, vous n'irez pas au concert de cette chanteuse à la…

– Chéri !

– Oui ?

– Reste poli s'il te plaît, ne donne pas le mauvais exemple aux enfants…

– Je reste poli, d'accord, soupira Papa, mais pas question d'aller au concert de cette chanteuse à crête de Huron écossais, du rouge, du vert, du bleu, un caméléon en mourrait s'il voyait ça…

– Je voudrais bien aller au concert, pleurnicha Angèle.

– Pourquoi, elle te plaît Rocky Cactus ?

– Oui, et Alexandre y va.

– Ah, c'est pour ça, murmura Papa, je m'en doutais un peu. Il est toujours à tourner autour de nous à la plage, à sourire, à dire bonjour, trop poli pour être honnête…

– Tu es injuste, intervint Maman. Alexandre est très gentil et ses parents sont des gens charmants. Ils élèvent très bien leurs enfants mais ils ont une autre façon de voir les choses.

– Dis que je suis vieux jeu.

– Non, chéri, pas vieux jeu… mais un peu coincé.

– Coincé ! Ah oui… je ne veux pas que mes enfants traînent n'importe où, avec n'importe qui et je suis coincé… Voilà ma réputation : un coincé… Eh bien, justement, un coincé, ça coince ! Alors pas de concert, un point c'est tout !

– Alors tout le monde ira sauf nous, soupira Romain. Antoine, Alexandre et…

– Et même le président de la République, s'il veut, mais moi, je dis non…

– C'est comme ça que les enfants ont des complexes toute leur vie, intervint Loup, mâchant une grande feuille de salade, des complexes de frustration…

– Oh ! vous, ça suffit ! coupa Papa.

Loup, interloqué, se tut, mâchonnant entre ses dents.

Le repas s'acheva en silence. Papa avait l'œil des mauvais jours. Angèle et Romain savaient qu'il valait mieux ne pas insister.

– On pourra quand même sortir, ce soir ? demanda Romain.

– Sortir où ?

– Sur le port, voir les bateaux.

– Oui, mais vous ne rentrerez pas plus tard que dix heures, c'est bien compris ?

– Oui, P'pa, c'est compris.

17

Angèle, Romain et Loup traînaient sur le port, jetant un vague regard sur les bateaux.

– Pffft ! soupira Romain.

– Pffffffffffftttt ! ajouta Angèle.

– C'est nul, reprit Romain. Si on allait au théâtre de plein air où a lieu le concert, on en entendrait une partie.

– Tu as raison, on s'ennuie ici.

Les abords du théâtre étaient interdits à la circulation. Des queues s'étiraient devant l'entrée, déjà les gradins du haut étaient couverts de spectateurs qui chantaient et frappaient dans leurs mains.

— Faisons le tour par la petite rue derrière, proposa Romain, on entendra mieux.

Ils s'enfoncèrent dans la rue déserte. Une voiture blanche les dépassa et s'arrêta plus loin.

— Vouahou ! la Rolls ! Regardez la Rolls ! s'écria Romain. Super ! Mais c'est Elle ! Regardez, c'est Rocky Réséda !

De la voiture sortit une longue silhouette couronnée d'une crête bariolée, rouge, verte et bleue, un véritable arc-en-ciel, rutilant dans la lumière du soir.

— C'est Rocky ! Vite, on va lui faire signer un autographe ! s'écria Angèle.

Et elle s'élança, suivie par Romain et Loup.

À cet instant une voiture noire surgit de l'ombre. Elle freina juste devant la Rolls blanche. Trois individus en jaillirent et se ruèrent sur Rocky Réséda.

— Crie pas, poupée ! s'écria le premier, il ne te sera fait aucun mal !

– On t'embarque, ma belle ! ajouta le deuxième, entraînant Rocky tandis que le troisième tenait le chauffeur en respect avec une arme.

– Ça alors ! bredouilla Romain, pétrifié. On enlève Rocky !

– C'est un kidnapping, bafouilla Angèle. Pauvre Rocky, on va la tuer !

– RRRROOOOAAAARRRRHHHH ! hurla Loup, arrachant de sa gorge un hurlement effrayant.

Et il se rua sur les ravisseurs, les crocs dehors, hurlant à pleins poumons :

– RRRROOOOAAAARRRRHHHH !

Les ravisseurs virent surgir un fauve déchaîné, crocs et griffes dehors, rugissant à pleine gorge et dont les yeux lançaient des flammes.

Le premier roula par terre, griffé jusqu'à l'os, le deuxième s'enfuit laissant une fesse entre les dents de Loup, le troisième, désarmé d'un coup de patte, tomba à genoux suppliant grâce, le visage blême de terreur.

– RRRROOOOAAAARRRRHHHH ! hurlait Loup, réveillant les échos alentour.

– Super, Loup, super ! s'écria Romain, tu as sauvé Rocky, tu es génial !

– Vous m'avez sauvée, balbutia Rocky Réséda, vous êtes des héros.

Elle vira au blanc, au rouge, au jaune sous sa crête et tomba sans connaissance entre les bras de Loup.

Quelques instants plus tard la police arriva, prévenue par le chauffeur. On embarqua les deux malfrats, bientôt suivis par le troisième qui avait été rattrapé, boitillant dans une rue voisine.

Rocky Réséda, revenue à elle, embrassa Loup, Angèle et Romain, signa des autographes. Elle se préparait à entrer dans le théâtre quand :

– Vous veniez au concert ? questionna-t-elle.

– C'est que... hésita Romain, et il expliqua tout.

– Je vois ! s'exclama Rocky, riant aux éclats, je vois. Eh bien, venez tous les trois, vous aurez les meilleures places, pendant ce temps mon chauffeur ira prévenir vos parents.

– Génial ! hurlèrent Romain et Angèle, tu es supergéniale Rocky !

– Je vous le dois bien, répondit Rocky Réséda, sans vous, je serais peut-être morte. Je dois me préparer mais venez me voir dans ma loge après le spectacle, j'y tiens absolument.

Et elle entra dans le théâtre, laissant Romain et Angèle éblouis.

– Elle est super ! affirma Romain.

– Géniale ! renchérit Angèle, Ouahou ! on va voir le concert !

– Qu'est-ce que tu as, Loup ? T'es pas bien ? questionna Romain inquiet. T'as l'air bizarre, t'as les yeux qui clignotent, la langue qui pend, les oreilles qui s'entortillent, les lèvres qui tremblent. Oh ! Loup, t'es pas bien ?

Loup ne répondit pas, fixant la silhouette de Rocky qui entrait dans le théâtre.

– Loup ! t'as les yeux qui te sautent hors de la tête ! Arrête Loup ! T'es pas dans un dessin animé !

– Elle est, bafouilla Loup, elle est… Super Géante !

– C'est vrai mais c'est pas une raison pour rater le concert. Dépêchons-nous de gagner nos places ou on va manquer le début.

18

– Il est bien, Loup, sur la photo, hein Papa, tu ne trouves pas ?

– Hon, répondit Papa.

Il beurra sa tartine et la trempa dans son café au lait, regardant vaguement par la fenêtre.

– Et tu as lu l'article ? questionna Romain, tu l'as lu ?

– Mmmoui.

Romain saisit le journal qu'il avait abandonné une minute plus tôt et en reprit la lecture.

– Et en première page ! Écoute un peu ça Papa, écoute ! « Les trois courageux enfants d'un vacancier, qui par modestie a préféré garder l'anonymat, sauvent la chanteuse Rocky Réséda, victime d'un enlèvement.

« N'écoutant que leur courage, ces enfants sont intervenus pour empêcher le kidnapping de Rocky Réséda que voulaient enlever trois truands pour obtenir une rançon colossale. »

Tu te rends compte, Papa, tu te rends compte ? On a eu droit à la première page… et la photo, elle est géniale ! Tous les trois : Loup, Angèle et moi… c'est super ! Je la découpe pour l'envoyer à Mamie de Paris.

– Hein ! sursauta Papa, tu veux l'envoyer à ta grand-mère ?

– Et aussi à Mamie de Lyon, elles seront vachement contentes de nous voir tous les trois.

– Tu ne vas quand même pas envoyer la photo avec Loup ?

– Si, et l'article avec.

– Misère, gémit Papa en se tenant la tête, et la légende qui indique : « Les trois enfants d'un vacancier sauvent Rocky Réséda », elles vont m'accuser de leur avoir caché l'existence d'un enfant taré.

– Mais Loup n'est pas taré ! protesta Angèle.

– Pour un loup, non, quoique… enfin… mais pour un fils de vacancier moyen comme moi, reconnais qu'il a une drôle de trombine.

– Ne t'inquiète pas, P'pa ! elles ne verront rien, elles sont myopes, on leur dira que le journaliste s'est trompé et qu'on s'est fait photographier avec un chien.

– Ouf, j'aime mieux ça, soupira Papa.

– Dis P'pa, pourquoi t'as pas voulu être photographié avec nous ?

– À côté d'une tête de loup, j'aurais eu bonne mine ! Je te dis pas les réflexions au bureau en rentrant de vacances, j'aurais été la risée de tout le monde.

– Moi, je ne crois pas, intervint Maman, on aurait dit que tu as des enfants courageux.

– Surtout le troisième, celui qui occupe presque toute la photo à lui tout seul, c'est fou ce qu'il me ressemble avec ses grandes oreilles, son museau et ses canines qui sortent.

— Loup a été surpris par le flash, il a un peu montré les crocs, c'est tout…

— Un peu ! Tu parles de quenottes, on dirait Dracula.

— Tu es méchant avec Loup, protesta Angèle, il a été courageux et tu te moques de lui.

— Bon, ça va, soupira Papa, ce n'est pas Dracula, c'est un brave enfant… enfin une brave bête, c'est vrai, mais ne me demandez quand même pas de le considérer comme mon fils… Et qu'est-ce qu'il fait en ce moment ? C'est déjà dix heures et il n'est pas encore levé…

— Il dort, il doit être fatigué, le pauvre.

— Fatigué ! et de quoi ? De bronzer, de jouer au volley, de porter sa casquette, d'exhiber ses bermudas, de me faire tourner en bourrique ?… À moins que le concert ne l'ait épuisé… le pauvre agneau…

— Il était aux anges ! s'écria Romain, Rocky a été sensas ! À la fin elle nous a fait monter sur scène tous les trois et elle a chanté avec nous. Loup était tellement ému qu'il n'a pas pu chanter.

— Ça valait mieux, maugréa Papa, il aurait fait fuir tout le monde, je te dis pas la catastrophe : au moins cent morts dans la débandade.

— Après on a bu le champagne dans sa loge, poursuivit Angèle, avant que son chauffeur ne nous ramène.

— Le champagne dans sa loge ! Vous avez de la chance, moi, je me contente de limonade quand je veux du pétillant, répondit Papa. Quelle époque ! Et Loup boit du champagne, il devait être complètement parti dans les nuages.

— Non, un peu gai, on était tous très gais, d'ailleurs, mais Loup encore plus que nous, il chantait à la lune.

— Ah, c'est ça que j'ai cru entendre la sirène des pompiers cette nuit.

— Il chantait ! protesta Angèle.

— Oui, comme à la maison, la nuit sur le balcon, je connais… enfin, ce n'est pas grave…

et la plante carnivore, elle a jeté sa culotte au public, comme d'habitude ?

— Rocky ? Oui, qu'est-ce qu'on a ri ! Devine qui l'a eue ?

— Je donne ma langue au chat. Romain peut-être.

— Non, Loup ! Il l'a reçue sur l'œil, pouffa Romain.

— Elle lui a fait un effet ! Incroyable ! ajouta Angèle. Il regardait Rocky avec des yeux !

— C'est vrai qu'elle ne manque pas d'un certain charme, malgré tout…

— Et puis quoi encore, coupa Maman, un peu pincée. Avec le cactus qu'elle a sur la tête, tu ne crains pas les épines ?

— Ne crains rien, chérie, sourit Papa, tu es la seule fleur qui compte pour moi.

19

– **P**fffttt ! il pleut, c'est nul ce temps, soupira Romain.

– Supernul, grogna Angèle, on ne peut même pas se promener.

– Ce sont les orages de fin d'été, intervint Papa, on ne peut rien y faire.

– On pourra aller au cinéma avec Loup, cet après-midi ? questionna Angèle. On repasse *Les Dents de la mer*, j'aimerais bien le revoir.

– Moi aussi, ça fait peur, c'est génial !

– Ça fait peur et c'est pour ça que vous voulez y aller ? Quelle drôle d'idée ! soupira Maman.

– Et Loup, il veut y aller aussi ? S'il a peur en pleine séance et qu'il se mette à hurler, je te dis pas la panique, rigola Papa.

Il posa sa tasse de café sur la table.

– Tiens, pas de réponse, le fauve est muet, qu'est-ce qu'il a ? une extinction de voix, un chat dans la gorge ?

– Loup, tu veux venir au cinéma avec nous ?

– Hon, répondit Loup d'une voix lointaine.

– Tu veux venir avec nous ? insista Romain.

– Hon ! grogna Loup.

– Je sais, c'est moins chouette que Rocky Réséda mais on ne peut pas la voir tous les jours, tu sais bien qu'elle est repartie en tournée.

Loup soupira à fendre l'âme.

– C'est déjà bien qu'elle soit restée quelques jours ici pour se reposer, on a pu la voir tous les jours. T'aurais vu l'hôtel, P'pa ! c'était super ! Le portier, le garçon d'ascenseur qui nous montait à l'étage, celui qui nous conduisait à sa chambre. Et sa chambre ! Ouahou ! le luxe ! Et

Rocky Réséda rien que pour nous. Elle nous chantait ses vieux succès, nous racontait sa vie. Tu sais qu'elle a été à l'Opéra ?

– Comme sirène d'alarme pour appeler les pompiers en cas d'incendie ?

– Pfff, c'est pas drôle, soupira Romain, pas drôle du tout… C'est dommage qu'elle soit partie, hein, Loup ?

– Hon, grogna Loup.

Il était devant la fenêtre, le museau sur le carreau, le regard perdu dans la pluie qui tombait au dehors.

– Pas bavard, l'animal. Enfin ne nous plaignons pas, dit Papa, ça nous laisse un peu de calme et…

DRRRRINNGG !

– C'est le téléphone, j'y vais ! s'écria Angèle.

Elle quitta la pièce en courant et revint quelques minutes plus tard.

– C'est Alexandre, il nous invite demain pour son goûter d'anniversaire.

— Ouah ! on va se régaler, sa mère fait des gâteaux super ! s'écria Romain.

— Loup est invité aussi.

— Mange pas trop, Loup, sinon tu auras mal au foie comme la semaine dernière quand tu t'es empiffré de babas à la chantilly.

— Hon, grommela Loup, toujours le regard perdu au dehors.

— Puisque Loup sera là, Alexandre voudrait qu'il mange son petit frère qui lui déchire toutes ses BD.

— Manger son petit frère ! sursauta Loup. Je ne suis pas cannibale, je suis végétarien, vous le savez bien !

— Alors tu pourras bouffer Magali, la copine de Romain, c'est une vraie courge ! pouffa Angèle.

— T'as pas vu Alexandre, on dirait un navet !

— Et Magali, elle…

— Ça suffit les enfants, coupa Maman, sinon vous n'irez pas au cinéma ni au goûter d'Alexandre demain, c'est compris ?

– Oui M'man, grognèrent Romain et Angèle.

– La pluie va s'arrêter bientôt, vous allez pouvoir aller à la première séance de l'après-midi mais sans dispute, c'est clair ?

– Oui, M'man, allez viens, Loup, on va au cinéma.

Ils partirent, laissant les parents seuls.

– Je crois qu'il est temps de rentrer, soupira Papa, l'été est vraiment fini. On ne voit plus le phare d'ici, le temps est pris pour plusieurs jours.

20

– C'est long, soupira Angèle, quand est-ce qu'on arrive ?

– Bientôt ma chérie, répondit Maman, on serait déjà à la maison s'il n'y avait pas eu cette pluie pour nous retarder.

– Pourquoi on rentre ? On était bien à la plage, c'était super.

– Mon congé s'achève. Dans deux jours je retourne au bureau, répondit Papa, et vous, la semaine prochaine, vous reprenez la classe.

– Beuh, soupira Angèle.

– Beurk, renchérit Romain.

— Beurk, Beurk, c'est une façon de parler ça ? gronda Papa. Vous parlez comme des bêtes, pire que Loup. Il parle mieux que vous. Dites donc Loup, vous qui avez de l'influence sur eux, bien plus que moi, à tel point que certains jours, je me demande à quoi je sers, ne pourriez-vous pas les convaincre de parler correctement et d'éviter les borborygmes ?... Vous ne répondez pas, qu'est-ce qui vous arrive ?

— Loup, Papa te parle, insista Angèle, lui donnant un coup de coude dans les côtes, réponds-lui.

— Hein ! quoi ? sursauta Loup, qu'est-ce qui se passe ?

— Vous n'avez pas entendu ? Pourtant vos oreilles sont assez grandes.

— Je réfléchissais, grogna Loup.

— À quoi ?

— À... à rien, soupira Loup, et il s'enfonça dans le silence.

– À rien… au moins vous ne risquez pas d'attraper des torticolis au cerveau, ironisa Papa.

Loup ne répondit pas.

– Pas la peine d'insister, soupira Papa, il est muet, l'animal.

– J'ai faim, grogna Angèle.

– J'ai soif, ajouta Romain, j'ai mal au ventre.

– On arrive, les enfants, on arrive. Regardez, voilà le grand carrefour du supermarché, dans cinq minutes on est à la maison.

– Oh ! regardez ! s'écria Romain, il est toujours là !

– Qui ça ?

– Rabouni ! Il est là en planque devant le fleuriste, regardez !

– C'est pas vrai ! c'est pas vrai ! hoqueta Papa, s'étouffant de rire. Il est toujours planté là, on dirait qu'il n'a pas bougé depuis un mois, il a pris racine, c'est sûr.

– L'éleveur de girafes naines ! Il guette toujours l'éleveur de girafes naines ! pouffa Romain.

– Loup, tire-lui la langue en passant, pour voir sa tête !

– Pas de ça ! protesta Papa, on va se faire repérer ! Je n'ai pas envie de voir Rabouilli débouler chez moi !

– Loup lui fera encore le coup de la grand-mère ! s'exclama Angèle.

Loup ne répondit pas, enfoncé dans un profond silence.

– Enfin, nous voilà chez nous ! déclara Papa. Chouette ! il y a une place devant la maison, on pourra sortir les valises facilement. Ça fait plaisir de se retrouver chez soi avec sa femme, ses enfants et ses bêtes… enfin sa bête… Tiens, pas de réaction, décidément on nous l'a changé notre Loup…

21

L'été s'acheva dans les orages. Puis le soleil revint. Romain et Angèle retournèrent en classe. Loup demeura à la maison, la mine sombre, le regard pensif, errant dans l'appartement, poussant des soupirs à fendre les pierres.

— Il m'énerve, grognait Papa, à faire des courants d'air comme ça.

— Laisse, chéri, laisse, répondait Maman, il se sent un peu seul, les enfants sont en classe et ne rentrent que le soir.

— Oui, et le soir c'est à peine s'il leur parle, il tire un nez, on dirait Pinocchio.

Un soir pendant le dîner, Loup déclara :

– Je pars.

– Comment ? s'écria Romain.

– Oui, je pars demain, il est temps que je rentre chez moi.

– Tu veux nous quitter, mon petit Loup, protesta Angèle les larmes aux yeux.

– Pourquoi, tu n'es pas heureux avec nous ? questionna Romain.

– Je n'ai jamais été aussi bien, mais il faut que je parte, la vie m'appelle.

Romain protesta, Angèle pleura, rien n'y fit, Loup ne changea pas d'avis. Le lendemain, il fit ses adieux, embrassa Angèle et Romain.

– Je vous donnerai des nouvelles, ne craignez rien, affirma-t-il, je ne vous oublierai pas, vous êtes mes petits loups.

– Des petits loups d'amour ? renifla Angèle.

– Oui, des petits loups d'amour.

Loup se tourna vers Maman.

– Je vous remercie de votre hospitalité, je me souviendrai de vos salades, elles étaient sublimes.

Il embrassa Maman sur les deux joues et se tournant vers Papa :

– Vous non plus, je ne vous oublierai pas, vous êtes super !

Et il lui allongea une grande bourrade dans les côtes.

– Super ! je suis super ! Ah ben ! si je m'attendais à ça ! s'exclama Papa, ébahi. Trouvé super par un loup !

Il tendit la main vers Loup mais Loup était déjà parti, laissant la porte d'entrée retomber sur ses talons.

22

Loup parti, la vie reprit son cours. Papa retrouva ses pantoufles, son canapé, ses habitudes troublées par les disputes entre Angèle et Romain qui recommençaient à s'empoigner.

– C'est toi qui…

– Non, c'est toi que…

– Si vous continuez ! s'écriait Maman, j'appelle…

– Tu appelles qui ?

– Tu verras !

– Le monstre du loch Ness, la grande sorcière bossue, le yeti ou le grand serpent à plumes ? Les petits hommes verts ou le dragon volant à

pustules ? Oh, oui ! Maman ! appelle-les !
s'écriaient d'une seule voix Angèle et Romain.

– Ah, non ! protestait Papa, la ménagerie
c'est terminé ! J'ai donné, je n'ai pas envie de
recommencer !

– Pourquoi ? Des petits crapauds bleus gros
comme des saint-bernard, c'est mignon, hein,
Papa ?

– Beuh !

– Ou Big Foot.

– C'est quoi ça ?

– Une espèce de yeti qui vit dans les montagnes en Amérique. Il sent un peu fort paraît-il,
mais il est très affectueux et il a des pieds ! Je suis
sûr qu'il se plairait dans tes pantoufles.

– Ah, non ! sursautait Papa, pas mes pantoufles !

– Ou alors le grand serpent de mer, tout en
écailles.

– Ou le mammouth de Sibérie, je sens que
l'hiver va être froid, affirmait Romain.

– Pas question, un loup m'a suffi, je n'ai pas envie de recommencer, grondait Papa.

– Oh ! pourquoi ? Il était gentil, Loup, protestait Angèle, tu t'ennuies sans lui, j'en suis sûre.

– C'est vrai qu'il me manque parfois, répondit Papa, souriant vaguement, il était pénible comme cent puces mais attachant malgré tout, cet animal.

Il pouffa :

– Je me souviens de lui à la plage, quand il faisait de la planche à voile, la queue au vent comme gouvernail. Il était impayable, tout le monde se tordait…

– Tout le monde sauf toi, intervint Romain, surtout quand on t'a dit que ton fils était meilleur véliplanchiste que toi…

– Oh, ça va ! grogna Papa, on ne peut pas savoir tout faire. C'est vrai que je tombe parfois à l'eau mais je n'étais pas plus ridicule que lui avec ses lunettes de soleil, sa casquette et sa queue qui brassait l'air… En tout cas, il aurait pu donner de ses nouvelles, cet animal. À part la carte que l'on a reçue quinze jours après son départ : « *Bien arrivé, grosses bises à tous, Loup* », avec un pâté en plus ! on n'a rien reçu depuis deux mois.

– C'est l'hiver, intervint Maman, ça ne doit pas être facile pour lui de trouver des légumes…

– Ah, c'est vrai, j'oubliais qu'il est végétarien, il doit en être réduit aux navets.

– Tu crois qu'on le reverra au printemps ? questionna Angèle.

– Je ne sais pas, je ne suis pas dans sa tête de loup, répondit Papa, ça me ferait plaisir de le revoir mais pas trop longtemps… Tiens, Romain, mets la télé, ça va être l'heure des infos…

– Zut ! on a manqué *Rock Story* sur Canard Plus ! s'écria Romain, on aura juste la fin !

Il alluma la télé en pestant.

– On a raté Rocky Barjo ! c'est lui qui présente le mardi, il est génial !

« Et maintenant après les Krados's qui chantaient *Kafarnaum Love* ! s'écria Rocky Barjo paraissant à l'écran, voici une toute nouvelle vedette, le grand espoir du rock pour la première fois à la télé, j'ai nommé Rocky Lou ! Ouahou ! »

– Angèle ! regarde ! regarde ! s'écria Romain, stupéfait, c'est Loup !

– Tu rêves, répondit Angèle, le Pepsi te monte à la tête !

Elle jeta un coup d'œil sur l'écran.

– Mais c'est vrai ! c'est Loup ! Regarde, Papa, c'est Loup ! Ouahou ! la banane ! c'est son épi qui rebiquait ! Et les lunettes ! le costard ! le look ! la classe ! c'est géant !

– Papa, Maman ! regardez ! hurla Romain, Rocky Lou, c'est Loup !

– Salut les p'tits loups ! s'exclama Loup, jaillissant sur l'écran, c'est Rocky Lou avec vous pour finir la soirée, et ça déménage avec Rocky Lou !

Il m'est poussé une banane
Je l'ai mariée à ma guitare,

139

Pour crier jusqu'aux étoiles :
Je veux vivre à tes genoux
Et t'aimer comme un fou,
Comme un loup !

– C'est super ! hurla Romain, dansant dans le salon, il va éclater le Top 50, avec ça !

Loup acheva un superbe accord, hurlant à pleine gorge :

– Comme un fou, comme un loup !

Sa tête jaillit de l'écran et se colla contre le nez de Papa.

– Salut mec ! T'es super !

Et disparut en un clin d'œil dans le poste.

– Ah ! j'ai eu une vision, murmura Papa. Il tomba dans le fauteuil. J'ai cru…

– Qu'est-ce que tu as vu, chéri, tu es tout blanc ?

– Rien, je n'ose même pas le dire…

– Et maintenant l'invitée surprise, annonça Rocky Barjo à l'écran, la supervedette aux millions de fans ! Devinez… devinez qui est avec nous, ce soir… Rocky Réséda !

Rocky Réséda apparut sur le plateau, saluée par une immense ovation.

— Rocky Réséda, tu as une supernouvelle à nous annoncer…

— Oui, répondit Rocky Réséda, sous sa crête multicolore, je donne un superconcert à Paris fin décembre.

— C'est une bonne nouvelle pour tes fans mais pour la supernouvelle ? insista Rocky Barjo, la supernouvelle c'est que… et Canard Plus est la seule chaîne à pouvoir l'annoncer, c'est que… Rocky Réséda va se marier ! Oui ! elle va se marier ! et elle épouse qui, devinez… Rocky Réséda épouse… Rocky Lou !

— C'est pas vrai ! s'exclamèrent Angèle et Romain, Loup épouse Réséda !

— Tu parles d'un couple, rigola Papa, un fauve végétarien et une plante carnivore, on se demande lequel des deux va dévorer l'autre !

— Oui ! j'épouse Rocky Lou ! affirma Rocky Réséda.

Elle prit Loup par la main et s'écria :

– C'est le ciel qui nous a réunis, il est génial.

– Elle est super ! affirma Loup.

– C'est le grand amour ? questionna Rocky Barjo.

– Je ne peux pas vivre sans elle, répondit Loup.

– Ni moi sans lui, j'adOOOORE les grands fauves ! s'exclama Rocky Réséda, les yeux perdus dans ceux de Loup, il est…

– Il est géant, Loup ! je l'ai toujours dit ! s'écria Romain, il est supergénial !

– C'est pas comme Papa…

– Dis donc, Angèle !

– Quoi ?…

– Tu entends les réflexions de ta fille ? s'exclama Papa.

– J'entends, mais c'est ta fille aussi, répondit Maman.

– Quand même, de mon temps, jamais on n'aurait parlé comme ça.

– Les temps ont changé, sourit Maman, et les enfants aussi, tu sais.

– Je sais, soupira Papa, je sais, ils ont muté.

Achevé d'imprimer
par France-Quercy, à Cahors
n° d'impression : 91499
Dépôt légal : 3ᵉ trimestre 1999
Loi 49-956 du 16 juillet 1949
sur les publications destinées à la jeunesse